JN001337

対話の技法

Ars Dialectica

東京大学教授
納富信留

笠間書院

はじめに

言葉が軽くなっている、貧困になっている。そんなつぶやきが聞こえます。言葉が暴力として人を傷つける。そんな時代だと言われます。しかし、言葉は、一方的に働きかける手段ではなく、隔たった者同士の架け橋となり、互いを結びつける場でもあるはずです。では、言葉が本来もつはずの潜在力や可能性を取り戻すにはどうすればよいのでしょう。そのヒントは「対話」にあるのではないか、そう考えています。

「対話」という単語は最近しばしば耳にしますが、それが一体何なのか、自明ではありません。試しに、「対話していますか」とだれかに聞いてみましょう。ほとんどの人は社会でも家庭でもあまり対話していないし、対話など成立していないと感じているのではないでしょうか。それなのに、「日本社会には対話がない」とか、「現代には対話が必要だ」とかいうことがしきりに言われます。ですが、そもそもここで使っている「対話」という事柄が何なのか、私たちは本当に知っているのでしょうか。分かってもいないのに、あるとかないとか、必要だとか不可能だとか言っても話は始まらず、空回りするだけです。

つまり、私たちは対話について知ったつもりになっているだけではないか。「対話とはこういうものだ」と分かったつもりになっていて、「対話がない」とか「対話ができない」などという言い方をしているだけではないか。そうだとしたら、それは実はとても不毛な事態だと思います。きちんと分かっていないのだから成り立たない、あるいは道筋が見えてこないのは当然だからです。そうだとすると、もう一度根本にさかのぼって、いったい対話とは何であるのか、あるいはどういうものであるべきかを、哲学的に考え直す必要があるのではないでしょうか。

対話がどんなものかは曖昧で漠然としている、そう思われるかもしれません。しかし、哲学から考えると、対話とそうでないもの、対話を成り立たせる条件、さらに対話の意義や限界が見えてくるはずです。哲学では本来対話とは何なのか、が考察されます。そして、対話によって生きる私たち人間のあり方、つまり人となりが問われます。つまり、私たちの生活において対話と呼ばれているものが何であるかではなく、対話というものが可能であるとしたら、それは本来何なのかが、哲学から問われるのです。

この意味での対話に焦点を当てて私たちの生活を見つめると、現代における対話の欠如が際立ちます。言葉が通じない、そんな状況で言葉が抑圧やマインドコントロールの手段として氾濫しています。その真ん中で、言葉に嫌気がさし、息苦しさの中で言葉を避けながら生きる言葉嫌い、ギリシア語で「ミソロゴス」と呼ばれた情態が生まれます。

本や新聞や雑誌といった活字が敬遠され、電子媒体でのごく短い文や単語のやりとりが広まっています。キャッチーですが、十分慎重に言葉が心を伝えてくれない。それは見栄えの良さで人の関心を引くメッセージの限界です。この状態が数十年後にどのような影響を残すのか、私には分かりません。ですが、言葉が持つ意味を再び、とりわけ教育現場で捉え直す必要があるのではないかと考えます。対話の持つ意味が、学校で、家庭で、社会で問われています。それでは、一緒に対話について考えてみましょう。

「対話」と言うと、私たちは今でもどこかで、いわく言いがたい違和感を持つのではないでしょうか。その違和感の原因を考察し、かえってそこに対話の本質があることを見ていきたいと思います。

本書は、対話の具体的なテクニックを指南して社会で役立てようという種類の本ではありません。対話とは何かということに、哲学から一つの見方を提示するものです。

「私たちの魂と魂が向き合う、言葉という場が、対話である」

この事柄の意味を一緒にじっくりと考えていければ幸いです。

対話の技法・目次

第三部

対話が広がる世界

第一部

対話を知っていますか?

第1回

対話という言葉から考えよう

知っているつもり

これから十五回に分けて「対話」について考えていきます。最初の五回は対話の基礎を検討します。改めて考察しなくても、対話など説明するまでもなく分かっている、そう思う人が多いかもしれません。実際、対話を勧める本は数多くありますが、対話とは何かをしっかり考えているものはあまりないようです。しかし、知ったつもりでいるその対話こそ、本当は私たち人間の謎を秘めており、もっとも困難な営みの一つなのです。

ここでの問いは、対話をどう上手く行うか、どんな対話テクニックを身につけるかではありません。対話とは何か、対話はそもそも可能か、哲学はそう問いかけます。一見迂遠(うえん)に思われるかもしれませんが、対話の本質を理解することが、その技法を身につけることにもつながるはずです。対話にはさまざまな側面があります。毎回特定の角度から焦点を当てることで、対話の多様性や多角性が浮かび上がることでしょう。

私はここでまず、対話の理念、あるいは理想を示したいと思います。実際に交わされるさまざまな対話ではなく、本来あるべき対話を語ることにどういう意味があるか、疑問に思うかもしれません。しかし、理想、理念から本来あるべき対話が見えてくると考えています。

どこから考察すべきでしょうか。私たちには「対話」という言葉があります。まずはこの言葉から始め、そこで徹底的に考えてみましょう。言葉を大切にする対話の精神は、まずは「対話」という言葉に向けられるべきです。そこから、対話に向かう糸口が見出されるに違いありません。

「対話」の特殊性

私たちはいろいろな場面で「対話を行っている」とか、「対話とはどんなものか知っている」と思っていますが、それは本当でしょうか。「対話」という言葉は、日常でそれほど頻繁に口にするものではなく、むしろ特殊な状況で用いられるようです。どんな場面で使われているか、いくつか例を挙げてみます。

たとえば、「米朝対話」といった政治交渉の場面が思い浮かびます。対話が必要となるのは、二国の関係が良好で円滑な場合とは正反対の状況ではないでしょうか。つまり、対立や緊張が高まり、現状を打開するため、あるいは戦争を回避するために、どうしても同じテーブルに着いて話し合う必要が生じた場合です。ニュースの写真では、ぎこちなく握手を交わす首脳のツーショットから始まり、大きなテーブルを挟んで向き合う高官たちの緊張した面持ちが印象的です。そのような時、同じ席に着いて対話を始めるのは非常に困難であり、また、席に着いて言葉を交わしたからといって対話が成立したとは言えないこともしばしばです。「対話決裂」などという事態もあります。

国内でも、最近さかんに「市民対話」という表現が使われています。開発など新規事業について対立するグループが対話するようにお膳立てする企画などです。また、町づくりや行政サービスについて市民の意見が求められますが、多くは対話といっても形式的な意見陳述に終わり、一方的でなんの合意も理解も得られないことが多いようです。政治の場面では、

「対話」という掛け声が高らかに叫ばれるにもかかわらず、空回りや白けた反応や否定的な評価を受けることが多いようです。そこでは、対話と称する場を設定したことが、なにかの言い訳に用いられているように見受けられます。

小学校から高等学校までの教育現場でも、近年「対話」が重視されています。学習指導要領などでアクティブ・ラーニングは「主体的・対話的で深い学び」と規定されています。対話を授業に取り入れることで、主体的で効果的な学習が可能になると期待されているのです。従来の一方向的な教育の限界を超えるため、興味深い試みであり、一定の成果もあるでしょう。他方で、教師と生徒の間にはたして対話が成り立っているのか、生徒同士の間で交わされるのが本来の対話か、疑問も残ります。授業の一環として推進される対話は、成績や内申書のために顔色を窺って交わす擬似的なもの、いわゆる忖度（そんたく）することかもしれませんし、ルールを形式的に学ぶことは時にはかえって対話の本質を損なうかもしれません。

概して現代社会で、若者の間では同調圧力が強く働き、場の空気にそぐわないことは語らない風潮があるようです。年配者の側でも、人の言うことをよく聞かずに自分の考えを押し付けることが多いように見受けられます。私たちの社会では、対話はほとんど存在しないか、あるとしても形ばかりに見えます。では、通信機器の画面で吹き出しで行き交う言葉は、果たして対話と言えるのでしょうか。

家庭ではどうでしょう。家族のなかでは、毎日出来事を話したりする「会話」はあるかもしれません。一般的に言って、男性同士、父と息子や兄弟同士は必要以上にあまり話はしませんが、女性同士、母と娘や姉妹では緊密なコミュニケーションをとっているようです。ですが、そういった言葉は「対話」とは呼ばれません。身内や親友など普段から言葉を交わしている間柄には、対話という言葉は馴染みません。

そう考えていくと、「対話する」という表現はかなり改まったもので、緊張や対立さえ含意しているように見えます。対話することに多くの人がなんらかの違和感を抱いているのも、そういった理由からではないでしょうか。

「対話」という日本語

ここでさらに、「対話」という日本語について考えてみましょう。「話」がつく熟語はいくつかありますが、会話や談話や講話、ちょっと意外なところでは、電話や童話や神話や秘話などもあります。言うまでもなく言葉を「話す」という営みが、もう一つの要素と組み合わされて熟語ができているわけです。

「対話」という熟語は、室町時代から用例がありますが、中国の白話（はくわ）文学で用いられていた単語が日本に入って一般に使われるようになったと言われています。ですが、おそらく他の多くの日本語と同様、幕末明治から盛んに行われた西洋概念の翻訳作業で普及したものが今日の用法です。英語では「ダイアローグ dialogue」で、カタカナでも使われますね。ドイツ語やフランス語などでも同様に使われる単語ですが、もとはギリシア語の「ディアロゴス dialogos」に由来します。ちなみに、日本で最初に作られた哲学辞典である『哲学字彙（じい）』（一八八一年）では、dialogue は「問答」と訳されています。

「ロゴス logos」は「言葉」という意味で、「ディア dia-」は「〜をつうじて」とか「〜の間で」という意味の接頭辞です。つまり、「人と人との間で交わされる言葉」というのが「ディアロゴス」の意味です。それが日本語で「対話」と翻訳されて普及しているのです。「対話」という語になんとなく違和感を感じるのは、翻訳語のニュアンスが残っているからかもしれません。

「対」という関係

熟語の成り立ちが分かったら、「対」という部分の意味も想像できます。「対」とは二つで一セットという意味ですよね。言葉に関わる場面では、二人が面と向かって言葉を交わす、対面して話すという意味になります。

「対」が付く熟語を見てみましょう。少し固い言葉ですが「絶対、相対」という反対語があります。どちらも明治期に東京大学の哲学教授・井上哲次郎が西洋語から翻訳したことで知られる日本語です。「相対」は relative の訳で、たしかにお互いに関係し合いながらという単語なので、「相対する」というのは適当な漢語です。興味深いのは「絶対」の方で、対応する英語は absolute です。「切り離されて」という意味ですが、「相対」の反対語として、「対を絶する、つまり、対にならない」という漢語となっているのです。他に並ぶものがない、孤立し自立している状態のことです。この語は井上が仏教用語にあった「絶待」を変えて用いたとも言われています。英語では語源の異なる二つの単語を、「対」をつけて対にしたところがおしゃれですね。

他にも「対」を含んだ熟語はたくさんあります。「対策、対応、対案、対照」など、どの場合でもなにかと向き合って関わるという意味があるようです。そこでは二人、あるいはそれ以上が関わる関係があります。会話や談話や講話とどう違うかを考える上でも、この「対」という部分にこだわってみる価値がありそうです。

さらに、「対」という漢字がついた熟語で考えてみましょう。

まず、対話には「対等」という関係が前提されるのでしょうか。私は基本的にそうだと考えます。言葉を交わす二人の間で、一方が圧倒的に優位に立っていて、他方が応じる言葉を持たない場合、あるいは応じる自由や権利を持たない場合、対話が成立するとは考えられません。

たとえば、王様が臣下に、主人が奴隷に向かって話しかけ、言葉を交わす場合、見かけ上は二人の間にやりとりがあったとしても、内実は一方が伝えたことを他方が受け止めて実行するという命令に他なりません。そこには自由に言葉をやりとりすること、自分の考えを表明して伝えることが確保されていないからです。その場合「対話」とは言えないはずです。
言葉のやりとりはたんなる情報の伝達ではなく、意思を伝えることで相手になにかを促すことです。言葉はなんらかの力であり、それが強く働くとハラスメントになり、さらには暴力になるでしょう。素手や棍棒で殴るように物理的に打撃を加えるのではありませんが、それ以上に大きな効果を発揮することがあります。権力者の一言が多大な犠牲を生むこともあれば、心ない言葉が刃となって人の心を破壊することもあります。

「対決」という言葉は、そのような力と力のぶつかり合いを示す表現です。ただ、それは単純に否定される関係でもありません。二人の人間が真剣に対峙すると、雌雄を決する場面が訪れます。そこでは決着が図られます。決闘はどちらかの死をもって終わります。対決としての対話は、そんな最終決着には至りませんが、なにかそのような方向が目指されています。

「対抗」と言うと、その二人がお互いに競い合って、なにかを目指したり、相手を凌ごうと競争したりする状況です。対話には、たしかに相手との真剣勝負があり、駆け引きが求められます。それはたんに合意や妥協や承認といった帰結ではない、ライバルと向き合う相容れなさが付きまといます。

「対面」の必要性

それでは、対話に「対面」は必要でしょうか。対面とは、文字どおりには顔と顔が向かい合うことです。日本人の文化は正面から向き合って目を見て話すことが苦手で、礼を失するとも見なされますが、欧米などの文化ではそれが正しい話の仕方とされています。顔、とりわけ相手の目を見ながら話すことは必要でしょうか。なぜ、そこにこだわるのでしょうか。それは、話している相手の人格がまさに「顔」として顕現するからです。

対話は顔を見なくても、たとえば電話越しでも文字をつうじたチャットでも可能だと思われるかもしれません。しかし、言葉が行き交うのは人と人との間であり、それを支えるのは顔と顔です。対話が成立する基本場面は対面にあります。では、対面するとはどういうことでしょう。一定の空間を挟んで、つまり空気を隔ててその対岸で見つめ合うことです。二人の間にある空気はいわば川であり、あるいはクッションであり、交わされる言葉の間(ま)であり、息が通い合う場です。言葉が交わされるとは、そこで空気の振動を共に感じること、その音響と雰囲気に包まれることです。

それでは、対話を交わす対面者は何者でしょう。それぞれが一個の人間として独立した自由で知性的な主体です。それぞれがかけがえのない実存であり、言葉を語り自らと世界を了解する現存在です。ですが、その主体が二人、生の顔と顔を突き合わせて、目と目で見合いながら交わす言葉が対話なのです。それは、日常の当たり前の風景ではなく、とても特別な事態であり、稀にしか実現しないことかもしれません。

私たちが「対話する」ことになんとなく違和感を拭えないのは、たんにこの言葉が翻訳語だからでも、西洋的な営みだからでもなく、私たち人間同士の間に横たわる溝、あるいは一人ひとりの人間存在の奥底にあるいわく言いがたい異質さからではないでしょうか。もう少し言うと、対話において私たちは途方もない深淵を垣間見てしまうからかもしれません。

私たちが生活する社会で対話があまり存在しない、あるいは、特殊な場面でしか見られないのは、「対話」における「対」という基本契機がほとんど成立していないという原因によるように思われます。もし人と人の関係が「対」をなかなか許容しないのだとしたら、話し方のマナーやノウハウを学んでも対話は一向に上手くいかないことになります。もっと根本的なもの、対話がどう可能であるかが、より真剣に考察されなければならないようです。

あまり深刻になってしまってもいけませんので、初回の考察はこのくらいにして、次回はもう一度「対話」というもののあり方を基礎から考えてみましょう。

第２回

対話でないもの

「対話」の定義

「対話」について考える糸口はどうやらつかめたようですので、今回は「対話とは何か」を考えてみます。その際、類似する他の言語行為、たとえば、会話や談話や演説や討論などとどう違うのかを考えるやり方が有効でしょう。つまり、対話でないものを見ることで、対話とは何かが見えてくるという方法です。

ここではひとまず、「対話とは、二人（あるいは少数）の間で、主題をめぐって交わす言論である」と定義しておきます。これで分かった気になってはいけません、ここで示した定義の意味を、これから考えていかなければならないからです。この定義が含む五つの区別を、まずは表で示します。

◉ 対話と対話でないものの五つの区別

Ⅰ	特定の相手 ／ 不特定の人々、匿名の多数（例：集会での議論）
Ⅱ	相互のやりとり ／ 一方的な語り（例：演説、説教、講義）
Ⅲ	交わす ／ 伝える（例：報道、説得、ディベート、書き物）
Ⅳ	一つの主題を共有 ／ 雑然とした話題（例：おしゃべり、雑談）
Ⅴ	言論行為 ／ 非言語コミュニケーション（例：身ぶり、合図、共感、以心伝心）

この五つの区別を順に見ていきましょう。

特定と不特定

まず、定義に入っていた「二人（あるいは少数）の間で」という点は、互いに相手がだれであるかが分かっている、つまり相手が特定の人であるという意味で、第一の区別にあたります。この点で対話と区別されるのは、不特定の人々と交わす言葉になります。

たとえば、大きなホールで開かれた集会で議論する場合、必ずしも誰がしゃべっているのか、どういう人がいるのか分からないでお互いに意見を言うこともあると思います。それも議論と言えば議論ですが、不特定多数あるいは匿名な人に向かって話していても「対話」とは呼べません。政府などが開催する公聴会というのがこのパターンで、通常はそういうものも「対話」と呼ぶかもしれませんが、正確には対話には当てはまりません。

なぜ不特定の人に向かって話し、その人の言うことを聞いている場では対話にならないのでしょうか。相手が誰なのか、どんな立場や性格の人なのかが不明な場合、それでも会話を続けることは可能です。たんに情報を得るためとか、市民一般がどんなことを考えているかを知るといった状況です。一般の集会では、名前を名乗ることが円滑な議論に支障をきたす可能性もあります。ですが、対話はその逆であるはずです。

また、駅でたまたま隣に座った人と世間話をするとか、そんな状況も匿名です。気楽なおしゃべりや会話は、相手が誰かを知らなくても成り立ちますし、逆に知らないから上手くいくことも多いかもしれません。最近は通信ネットワークをつうじて、匿名の人の間の方が自由に本音を語るという文化が広まっています。しかし、対面でないという点を除いても、これは本来の対話には当たらないと考えています。

名前までは知らなくても、相手が特定の立場、たとえばある会社の社員だとか、店員だとかいうことが分かっていれば、お互いの立場が決まっているので特定の者同士だと言えるかもしれません。その場合は「対話」と呼べると思われるかもしれませんが、それでもなにかが欠けているような気もします。それは、語る相手が一人の人間、人格として扱われていないからではないでしょうか。某社の社員さんと話をしても、それは人対人ではありません。むしろ、相手と私が誰であるかをお互いに了解している場で交わされる言葉、それを対話と見なすべきでしょう。

語る相手が特定か不特定かという区別は、その人数にも関係します。一人、あるいは二、三人が相手で言葉を交わす場合、その人が誰かを知っている場合が多く、また知らないと気になるはずです。他方で、数十人から数百人といった多数に向かう場合、それらが誰なのかを把握していることは難しいですし、仮に大体分かっていても、その時々に誰が反応してくるのかは分かりません。多数を相手にすることは、自動的に対話ではないことを意味するようです。

相互と一方向

この点が、対話とそうでないものの第二の区別につながります。演説や弁論や講義といった場面です。一人の語り手が大勢の聴衆に向かって、まとまった長さの話をする場合、それは対話ではありません。演説であれば聴衆、講義であれば受講者は、演者や講師の言うことを熱心に聞いてノートに録ったりします。講義や公演の後で質疑応答を受け付ける場合もありますが、それ以外で勝手に自分の意見を言うことは、講演を邪魔する行為になります。

国会や県議会での演説や報告も同様です。話者に与えられた時間はその人の独壇場であり、会場でヤジや独り言を言っても構いませんが、それは気にすべきものではありません。そのような語りは一方的であり、対話ではないからです。

このように、二人や数人の間で、相互に言葉のやりとりをする場合は対話になり得ますが、一方的に語られる場合は対話ではありません。典型的には、上司や教師や親による説教の場面を考えてください。なにかに失敗したり、叱責される状況で呼び出されたあなたは、相手が語る強烈な言葉をずっと神妙に聞きながら、時々相槌をうったり同意を示したりします。ですが、途中で自分の意見を言おうとしたり、相手の言っていることに反論したり、あるいは質問することすら許されず、相手は激怒し、お説教はさらに長引きます。そういった場合、話をすることが期待されている、あるいは許されているのは一方の側のみであり、他方は聞くことだけで自由に言葉を発することが禁じられています。そのような一方向の語りは、対話とはかけ離れています。

交わすと伝える

「対話」の「対」という字、あるいは「ディアロゴス」の「ディア」の部分に「相互に」という要素があることは、前回見ました。「相互に」ということの反対は、演説や説教などのように「一方的に」です。ここに、第三の区別である「交わす」と「伝える」の対比が現れます。相互に行われる語りは、言葉を交わすことです。それに対して、一方向になされるのが、伝えることです。

皆さんは、対話を行うのは相手になにかを伝えるため、と考えていませんか。私は正直、それは本来の対話ではないと考えています。自分で言いたいことがあって、それを相手に知ってもらいたい、納得させたいと思っているとしたら、それは基本的には一方向的であり、伝達であっても、双方向的な対話とは言えません。すでに伝える内容が確定していて、それが対話をつうじて変わらないのだとしたら、対話の形をとった説得と変わらないからです。

典型は、テレビなどの報道、あるいはユーチューブやツイッターです。それらは情報やメッセージを一方向的に発信するものです。それに対して反応を送ったり、自分も意見を発信したりすることもできますが、一つ一つの発信が対話を構成する保証はありません。現代はさまざまな通信手段を活用して自分の意見を発信することが良いとされていますが、それは必ずしも対話的な営みとは言えないのです。自分の言いたい意見を広く拡散して、不特定多数の読み手が共感したり反発したり、一部が応答したとしても、それは対話ではありません。

伝えるという点で言えば、書物も著者が読者になにかを伝えるためにあり、「交わす」ことにはなりません。本書もその意味では、私が皆さんに言葉を送っているだけですので、それ自体では伝達に過ぎません。

では、書き物において「伝える」を「交わす」に変えることは可能でしょうか。伝達手段や語る場面が固定的であれば、両者は截然[せつぜん]と区別されたままです。ですが、聞き手が一方的に相手の言葉を受け入れるだけではなく、対等な語り手として反応し、応答することができれば、対話というあり方に近づくことでしょう。この点については、第四回で、書き言葉の問題として検討したいと思います。

主題と雑然

第四の区別として、対話は漠然としたおしゃべりとは違うという点があります。その違いは何でしょう。それは、特定の同じ一つの主題、あるいは問いを共有しているという点です。少なくとも、「今こういうことを議論しています」という共通のテーマがないと、たんなるおしゃべりや世間話になってしまいます。

雑然とした会話というものも、二人の間で交わしていると言っても、次々と話題が移ろってしまったり、話が完結しないうちに別の話題に移ってしまったりすることは日常ではよくある、いやむしろ普通のことなので、これも対話とは呼びません。飲み会での会話がどうしても散漫なおしゃべりに終わってしまうのは、一つのテーマで語り合うものではないからです。

一つのテーマをもって語り合うのであれば、昨今では教育に取り入れられているディベート、つまり討論にあたると思われるかもしれません。しかし、ディベートが自分の立場を主張して、それを相手に説得する、あるいは相手の議論を論破するという一方向的な営みである以上、先ほど検討した第三の区別に即して、それは対話ではありません。対話とは、自分の考えを伝えることでも、それを相手に納得させることでもないのです。

こう考えていくと、対話というものは非常に限定された言語行為になります。ここで考えていきたいのは、そのような限定された対話がどのように成立し、またどのような可能性と危険性を持つのかという点です。

これまで挙げてきた議論や演説や討論、報道や情報発信も、それぞれ重要な役割を担っており、けっして意味のないものではありません。しかし、対話をこれらと区別せずに一緒に考えてしまうと、その意義が上手く捉えられないはずです。これから私たちが考えたいのは、対話という、かなり特殊な人間の営みなのです。

言語と非言語

最後に、対話があくまで言葉をつうじたやりとりであって、言語を用いない非言語コミュニケーションとも違うという点を考察しましょう。広くコミュニケーションについて考えると、それは必ずしも言葉を介する必要はなく、身ぶりや手ぶり、あるいは表情や身体全体の動きの方がはるかに豊かに気持ちを伝えることができることに気づきます。せつなさや愛情は、言葉では伝えきれず、かえって一瞬の顔つきがすべてを語るということもあります。

それを承知のうえで、ここではあえて非言語のコミュニケーションは対話ではないと考えます。身ぶりや合図はなにかの指示や意味を伝達するには十分かもしれませんが、お互いに言葉を交わすという状態とはかけ離(はな)れています。見たら分かるという状態、あるいは共感や以心伝心という事態ももちろん存在しますが、それらは漠然(ばくぜん)と一体化した雰囲気にすぎません。それは相互に交わるという形ではないのです。

他方で、身体的な要素は、対話において重要な役割を果たすことも確かです。私たちが言葉を発してそれを聞いて反応することは、中立で無色透明な記号をやりとりする情報伝達ではありません。語り手の表情や視線や仕草、あるいは声色（こわいろ）や抑揚、間合いや小さなため息など、あらゆる身体的特徴が対話の場面を形作る舞台となります。対話は、記号やその意味内容の機械的な交換ではなく、生きた言葉のやりとりです。そこには、生きた身体、その顔、声があります。言語の基にある非言語的要素は、二人のやりとりにおいて対話が「図（ず）」であるとすると、それを背後で支える「地（じ）」に当たります。

目で見ることでも十分になにかのメッセージを受け取ること、直感的に理解することはできます。ですが、「それはどういう意味ですか」とか「あなたはなぜそう考えるのですか」といった相手への質問、あるいはそれへの返答は、言葉を介さないとできません。共感のような一瞬で理解する非言語的コミュニケーションは直接的ですが、時間をつうじて交わされる言葉のやりとりとは、本質的に異なる機能を持つのです。

言語に拠（よ）らないコミュニケーションは、たとえば動物との間でも、植物や山とでも存在するかもしれません。また、言語という記号を使う限りでは、ロボットや人工知能と伝達することも可能になっています。しかし、対話は言葉をつうじて、二人の人間が向き合ってなにかを突き詰めて考えるという言語行為です。その限りで対話は、どうやら人間の間でだけ成り立つという限定性を持っているようです。

私たちは、五つの区別をつうじて、対話でないものから「対話とは何か」を見てきました。やや形式ばって提示した対話の定義の意味も、かなり明らかになったはずです。次回からは、この理解の上に立って、さらに対話の特質を考えていきましょう。

第3回

対話のやりとり

語ると聞くから考える

前回「対話」を定義して、そこから考えを進めました。その特徴として、演説のような一方向的な語りは対話ではないという点を説明しました。また、すでにある考えを伝えるだけではなく、交わりの大切さを確認しました。対話は本来、対（つい）で双方向的になされます。今回はそこから、対話の基本要素として「語る、聞く」と、「問う、答える」という営みを考察します。

対話は言葉のやりとりである限りで、「語る」と「聞く」の関係です。私たちが当たり前だと思っている言葉をきちんと考えるのが哲学です。「語る」と「聞く」など、子供でも分かっていると思われるかもしれませんが、実はここに鍵があります。そもそも、語る、そして聞くというのはどういうことでしょうか。四段階で整理してみます。

◉「語る」と「聞く」の四段階

語る	①口から音声を発する ②意味を伝達する ③内容を理解させる ④実行させる
聞く	①耳で音声を受け取る ②意味を捉える ③内容を理解する ④実行する＝聞き従う

音声のやりとりから意味の伝達へ

まず、第一段階から考えましょう。「語る」という行為は、とにかく物理的に「口から音声を発する」という行為を基盤とします。たとえば、初めて外国語を学んでいる時、ネイティヴの発音を聞いていて、意味が分からなくてもその言語だということは分かりますよね。相手が発している音声を注意深く聞いて、「リピート・アフター・ミー」などと言われて、分からないながらに真似て音声を発します。外国語を語る第一歩です。「聞く」という側は、この段階だけでも成立します。つまり、耳で音声を受け取っているだけで、まだ意味分節を行っていない段階です。母国語の習得についてはそんな段階を記憶していませんが、きっとごく小さい時期にあったはずです。まだ意味を帯びていない音声を発する、対話が成立する以前の「語り」です。

次の段階では、「語る」は「意味を伝達する」という役割を担います。相手の「聞く」は「意味を捉える」ということになります。難しい内容でも、日本語として語彙と文法がクリアできれば、一応言葉の意味は分かりますよね。でも、哲学などでは、言葉として意味は分かるけれども中身は全然理解できないという場合も多々あります。したがって、意味の伝達とその把握は対話の前提段階ではありますが、これだけではまだ対話は成立しません。

内容理解から実行へ

ここからが対話にとって重要なところですが、第三段階には「内容を理解させる」ことがきます。これが本来の意味で「語る」という内実です。つまり、語っているということは、その行為の意図として、相手に内容を理解してもらわなくてはならないということです。逆に言えば分かりやすいでしょうか。音声を発したり伝えたりするだけでも、言語として意味を伝達しても、それだけではまだ語っていることにはなりません。相手がその言葉の内容をきちんと理解してくれないと、「語る」の条件は満たさないはずです。

「聞く」と言えるのも、やはり相手の言葉の内容を理解している場合です。音声を物理的に受け取ること、それを分節化して言語として意味をとりあえず捉えることは、まだ本当に聞いていることにはなりません。なにか大事なことを言われている時に、「ちゃんと聞いていますか」と尋ねられたとします。その時、「きちんと日本語の意味は分かっているつもりですが、何をおっしゃっているか分かりません」と答えたとしたら、それは「聞きました」ということにはならないのです。

対話ではそうして内容を理解すれば十分ではないかと思うかもしれません。ですが、もう一つ強力な段階があります。おそらく、普段意識されていないかもしれませんが、実は「語る」は、それを「実行させる」ということを意味しています。というのは、「聞く」というのは、「それに従う」ということだからです。たとえば、「分かりました」と承諾の返事をすると、ただたんに耳で聞いて理解したというだけではなくて、「それを実行します」という意思表示になります。

親が子供に向かって「言うことを聞きなさい」という言い方をすることがありますよね。その時、子供が「耳がついているんだから、聞いているよ」などと言ったら、屁理屈だとして、たぶん昔だったら殴られています。つまり、「言うことを聞け」というのは、耳で聞いて理解するだけではなくて、それを「実行しろ」ということです。こうして「聞く」というのは、内容を理解することのさらに先を目指すものなのです。

対話の緊張関係

このように「語る」というのは、相手に実行させること、そして「聞く」というのは相手の言うことに従うことで、この「聞く＝従う」が究極の地点となります。それでは対話はこの第四段階を目的にしているかと言うと、そう単純ではありません。この段階には少々問題があるからです。

語る側は自分の言うことをすべて相手に実行してもらう、聞く側はそれをすべて実行するというのは、実効性が高くて完全な到達点に見えるかもしれませんが、実はこれは強制と同じになります。説得とか、さらには絶対的な命令とかいう、言葉による強制です。このように、この第四番の地点は、ある意味では対話に従事する人が望んでいるかもしれないけれども、対話そのものが機能しない危険な地点でもあるのです。一方が語ることをそのまま他方が従うとすると、相互的な対話ではなく指令や指示になり、服従になってしまうからです。

そうすると対話では、ある意味では第四番の地点を意識しながら第三番の段階をきちんと確保できるかということが肝心になります。つまり、相手の語ることを理解する、けれどもそれを実行するかどうかについては、立ち止まってさらに自分でよく考えて相手に意向を伝える。そこに相互的な言葉のやりとりが起こる。そのようなところが、対話の目指す地点ではないかと思います。

つまり、相手の言っていることを理解しなければ対話になりませんが、理解したからと言って「一〇〇パーセント納得しました」とか、さらに「はい、その通り実行します」とかいうことにはならない地点で、どうやって対話を続けていくのか。そこに、相手が言ったことを理解したうえで、反対する、あるいは疑問を投げかけるということがありえるわけです。これが、対話には相手が存在するということの意味で、「あなたの言ったことは全部理解するし、全部そのままオッケーです」と言う場合には、相手と私が一心同体になってしまって、二人が存在する必要がなくなってしまいます。それはそれで危険ですし、そもそもそんなことはほとんどありえないのではないかと思います。

「かたる」という日本語には「騙る」という漢字もありますよね。言葉によって相手を騙す、欺いて自分の言うことを聞かせるという意味です。それが同じ「かたり」と呼ばれるのは偶然ではないでしょう。相手の語りに言いくるめられ、うまい言葉にうっかり乗せられると、すっかり騙されてひどい目にあうことになります。

対話において私たちが何を語り、何を聞くのか、あるいはどう語り、どう聞いていくかを、冷静に判断していかなければなりません。対話は何を目指してどういうところで勝負しているのか、どのような緊張関係にあるのかということを、この観点からもう少し意識する必要があります。

問いと答えの対

続いて、「問い」と「答え」という対から考察を加えてみます。

「対話」のもとにあるギリシア語の「ディアロゴス」が「問答」とも訳されることは、すでに見ました。二人の間で問いを発してそれに対して答えるという、このやりとりが対話の基本をなします。そこには「語る、聞く」がさらに具体的なかたちで働いています。

どうして「問い」と「答え」の対が必要かと言うと、「語る」と「聞く」は究極には一方向性や一体性に陥る可能性があるためです。定義で見たように、対話は一方的な語りではありません。自分の言いたいことだけを言って確かめもしないとすれば、たとえ二人ともが自分の主張をしたとしても、それは言いっ放しです。確かめるという作業は、言った相手に問いかけ、それに答えるということが必要ですので、このような意味で対話の基本は問いを発し、答えるというところにあります。

では、どのような問いでもよいのかと言うと、そうではありません。問い方にはテクニックが必要です。きちんと同じ主題を追究するためには、正しい問い方、そしてそれに対する正しい答え方を身につけなくてはなりません。何でも構わず問いを発して、場当たり的に答えるというのではいけません。問いを発するには、対話全体におけるある意図、またはプランがあるはずで、思いつくままに質問を投げかけても対話は少しも進みません。なにかを明らかにするとか、検討するとか、なんらかの合意に近づくとか、そういったプランに即して、必要な事柄を、問答をつうじて確認していくのです。

どのように問うかは、どのような答えを期待するかに関わります。問答の方法が要求する答えは、基本的に「はい／いいえ」という肯定・否定の二者択一です。問いを発するというと通常は「あなたはこれについてどう考えますか」といった問いが思い浮かびますが、こういった問い方をすると、相手はどんなことでも述べられます。相手に自由に話させてそこから考えるヒントをもらうといった場面なら構いませんが、自分の考えを言ってくれと促されたら、その人はすでに抱いている考えを一方的に提示するということに止まってしまいます。また、長々と考えを言っていると、当初の主題からはずれたり、あまり関係のない事柄を付け加えたりという脱線も起こりがちです。双方向的な言葉のやりとりとはかなり違ったものになってしまうのです。その意味で「何でもいいからあなたの考えを言ってください」といった問いは、ここで問答として考えたい問いの形式ではありません。

それとは異なり、「これはこうですか」、「あなたはこう考えますか」という質問を発して、それに対して「はい／いいえ」といった方向で答えてもらうのが確実な方法です。対話が技法として成立するための「問い」とは、そのような基本のかたちを持ちます。「いいえ」という反対表示は、問答においてとても大切な場面です。なんにでも同意するのではなく、自分が感じる違和感や異論をはっきりと示すことで、対話の考察は前進するからです。

問答という技法

問答というやり方のメリットは、相手の言っていることを曖昧にせずに、確認しながら進んでいく点にあります。人間の言語には曖昧性がたくさんあります。あるいは自分でも気がつかないような多義性もあります。これが誤解のもとです。自分の言っている意味が、相手に違うように受け取られてしまうということはしばしば起こりますが、そのような誤解が発生した時にどうすればよいのかと言うと、そこからさらに「あなたの言っていることはこういう意味なのですね」とか、「これとこれのどちらの意味で言っているのですか」といった質問をすることが必要です。そうすると、少なくとも単純な意味での誤解やすれ違いは避けられます。このように、分からない点については説明や補足を求めていくという方法を取っていくのが、問答のもっとも基本的なあり方でしょう。

問答としての対話は、だれでも上手にできるものではありません。まず、優れた問い手が的確な問いを発し、問いと答えをつなげながら一つの議論にしていく能力こそ、問答の遂行に必要です。優れた問い手は自分で結論を持っている必要がありませんし、主題について知識がある必要もありません。相手を上手に導く、ただし誘導尋問するのではなく、相手の真意を詳（つまび）らかにするのが問い手の役割です。そうしないと、議論はあらぬ方向に進んでしまいます。あるいは堂々めぐりになってしまったり、相手が上手く飲み込めないで議論が破綻してしまいます。優れた問い手というのは、相手の意向や趣旨をくみ取り、なおかつそれに対して鋭い反論や問題提起をぶつけるような質問の仕方をします。

そのためには、一方ばかりが問い、他方が答えるだけだと訓練が進みません。そこで有効なのは、「問い」と「答え」の役割を適宜交替して、反対の立場から議論する訓練です。問い手は同じ問題について答え手に回ると、自分の考えのどこが弱かったのかということや、相手の考えのどこが強いのかというようなことも理解できるはずです。つまり、問い手と答え手は、いわばゲームの攻守のような非対称な位置にいますが、その役割を両方とも経験することで、対話が洗練されていきます。それが対等な言葉のやりとりとしての対話を、問答の技法として進めていくやり方なのです。

第4回

対話の強さと弱さ

語ると書くから考える

対話とは何かを、「語る、聞く」と「問う、答える」から考察しましたが、さらにもう一つの対を取り上げてみましょう。「語る、書く」です。対話は面と向かって言葉を交わす営みである以上、口頭で話されるのは当然だと思っていませんか。しかし、対話の本質を考察するうえでは、さらにもう一つの視点が必要です。一次元高いところから見ることを哲学では「メタ・レベル」と呼びます。私たちが交わす対話をメタ・レベルにすると「メタ対話」になります。対話を書き、読むことがそれです。ここには緊張に満ちた関係があります。

「対話を書く」と言うと不自然に思われるかもしれませんが、歴史の上ではいくつも例があります。孔子の対話を記録した『論語』やブッダの言葉を記した初期仏典、イエスの言葉

◉語り言葉と書き言葉の特徴

	強さ	弱さ
語り言葉	〔現場性〕今、ここ、リアリティと迫力 〔特定性〕相手の顔、生き方の吟味 〔実効性〕状況や人生の変化	〔限定性〕一回限り、繰り返し不能、忘却 〔有限性〕未完成、時間切れ 〔困難さ〕無理解、誤解、心理的抵抗、予期不能、逸脱 〔実効性〕強制
書き言葉	〔反　復〕有限性を超える、深化、永続性、普遍性 〔客観性〕距離をとる、遊び・真剣 〔自己相対化〕自己への視点、他者としての自己	〔不特定性〕相手の特定不能 〔固定性〕状況への非対応、変更不可能 〔有限性〕説明・補足の欠如 〔非実効性〕効力を保証しない

を残した福音書などです。とりわけ、古代のアテナイで市民や外国人と対話しながら生きたソクラテスと、それを対話篇に書き著したプラトンとの関係は典型的です。

ソクラテスは日々街中で対話を行い、それこそが哲学の遂行であると考えましたが、何一つ著作は書き残しませんでした。他方、プラトンはソクラテスの刑死後に彼を主な登場人物とする戯曲形式の哲学書を三十数篇書き残しました。現場で交わす生きた対話、つまりソクラテスの語り言葉を、プラトンは文字、つまり書き言葉に固定しました。両者の緊張・補完関係は、前ページの表のようになります。

「語り言葉」と「書き言葉」にはそれぞれ強さと弱さがあります。この「語り言葉」の強さと弱さ、「書き言葉」の強さと弱さが相互に補完し合うことで対話を完成する、そのような構造になっています。現場の対話とメタ対話の両方がないと対話は成り立ちません。この点を一つずつ検討していきましょう。

語り言葉の強さ

私たちが普段話している言葉が「語り言葉」ですので、反省してみると特徴がつかめるはずです。なんといっても、その強さは現場性にあります。人と人が今、ここで言葉を交わして現場を共有していますが、その場にいあわせない人にはその「語り」は経験していないので理解できません。今、ここでの雰囲気、語り言葉の一番強いところは、顔を見ながら一緒に議論する現場性のリアリティです。劇場ライブのような迫力は、語り言葉にしかありません。

対面しながら、つまり相手の顔を見ながら、その人に向けて問いを投げかける、あるいは応答している場合に、現場性は緊張と迫力を帯びます。日常の会話やおしゃべりにはそんな緊張感が欠けているので、特殊な場面を想像してください。スタジオで二人で席に着いてこれから特定の主題について対話を始めます。ピンマイクをつけて、部屋の外の人たちに聞こえるようになっています。何を語り出すか、相手の言葉にどう応じるか、一言ひとこと、一瞬ごとの緊張です。やり直したいとか、ああ言えばよかったという反省の余裕もなく、丁々発止で対話は進みます。しかし、思いがけない話の展開や新しいアイデアが二人の言葉の間で飛び出します。少し極端ですが、そんな現場の緊張が語り言葉ならではの魅力です。

とりわけ哲学の対話は、「あなたはこの問題についてどう考えるのでしょう」「どんな生き方をしているのですか」というように、本人の生き方を問いながら一緒に吟味するものです。人生をかけた応答ですから、ものすごく迫力があります。そこでは現場性が決定的です。会話を交わすことによってなにかが変わるからです。

自分の考えを語ることで気づくこともあれば、思いがけないやりとりに傷つくこともあります。対話がなにをどう変えるかは予想が難しく、それによって怒る人もいれば反発する人もいます。ですから、対話を交わすということが、考えや状況、さらにはお互いの生き方や現実を変えるということが重要です。言葉が語りをつうじて現実を変え、現実を作り出していく。それが、語り言葉の現場性がもつ強さです。

語り言葉の弱さ

対照的に、語り言葉には弱さもあります。今指摘したことを裏返しにすれば全部出てきますので考えてみてください。現場性とは、結局、今この場で一回だけ行われるもので、繰り返すことができません。一回語ったことをもう一回繰り返すと、それはまた別の経験になってしまうからです。しかも、今語ったことは、人間である以上、必ず忘れていきます。すでにどんどん忘れていっているわけですけれど、時間が経つにつれ、あるいは当事者がいなくなることによって忘却される。つまり、語り言葉はすぐに消えてしまうのです。一回きりの現場性は圧倒的な強さであると同時に、はかない弱さでもあります。

しかも、対話は基本的には未完成です。つまり、時間切れになってしまう。何時間あれば一つの対話が完結するかなど、分かりません。精神を緊張させて丁々発止の対話をしていると体力も尽きます。私たちは皆仕事や日常生活もありますので、エンドレスに議論するわけにはいきません。対話が佳境に入ったところで、「そろそろ時間も尽きましたので、お開きに」などの一言で終わってしまいます。対話と言っても理想的に無限に続けられませんので、この肉体と限られた時間のなかで終わる、こんな限界もあります。

さらに、語り言葉の困難さは、私たちがまさに日々直面するものですが、お互いの無理解、誤解、心理的抵抗、つまり相手の言っていることを受け入れたくないという反発、予期不能性などたくさんあります。また、脱線、つまり突然別の話に移ってしまうこともあります。対話はなかなか思うようには進まないのです。

対話する人や状況を変えるという現場性は、良い方向に導くこともありますが、逆に働くことも多いようです。強い言葉が強制力になることもあります。正直に言って、対話による徹底的な吟味は、望ましい結果を生むとは限りません。一生を対話による哲学に捧げたソクラテスは、人々の誤解と憎しみによって最後には死刑になってしまいました。とても残念なことだとは思いますが、同時に、対話によってそこまで行き着いた人というのは、なかなかすごいのではないかと思います。プラトンはそのソクラテスが従事した「対話」を書き物にして残したのです。

書き言葉の弱さと強さ

では、対話を書き残す「書き言葉」とはどのようなものでしょうか。形としては戯曲のようなもので、ソクラテスが「あなたは、不正を行うのと不正を受けるのと、どちらが良いと考えますか」などと相手に問いかけます。私たちはその対話篇を読んで、対話の臨場感を味わいます。

実際に語られる対話と対比すると、対話篇の書き言葉はとても弱いものです。これはプラトンが『パイドロス』で自分で書いたことですが、書き言葉は誰が読むか分からないものです。状況を知らない人が読むと誤解されるし、不特定の相手にはどう理解されるか予測できません。また、書き言葉は一旦固定してしまうと、もう対応できない、変えられない、状況に合わせられないといった面もあります。そして、「説明してほしい」、「もっと補足してほしい」といった要望に対して十分に応えられません。実効性についても、話し言葉のような現場の強力さはありません。このような弱さがあります。

場を共有する人の間で交わされた言葉は、たいていの場合どういう意図があるか、どんな背景があるかなどが暗黙の了解となっていますが、書かれた文章だけを見ても、そういった前提が共有されないことが多いのです。

しかし、書き言葉には、語り言葉の弱さを裏返せば出てくる強さもあります。語り言葉には現場のリアリティや力もありますが、一回切りですぐに消えてしまい、繰り返すことができません。それに対して、書き言葉は何度でも読むことができます。つまり、反復することができるのです。こうして私たちは「語り言葉」の有限性を超えるのです。

同じものを何度も読み返すと時間を置いて考えることができ、最初は分からなかった対話の意味が、読んでいくうちにだんだん分かってくる面もあります。それが、永続性、普遍性です。つまり、一回交わされた対話が書かれて読まれることで、普遍的になります。対話をメタ・レベルから見ることで客観性が生じるのです。対話に従事している当事者はそこに巻き込まれていますので、自分が何を言っているのか、何が起こっているのかが見えません。しかし、距離を置いて書いたものを読み、もう一度反省することによって、自分はこういうことを言っていたのか、相手の言ったことはこういう意味だったのかが見えてくることがあるのです。距離をとって自分と相手の言葉を見つめ直す、それが書かれた対話を読む最大の意義です。

語ると書くの相補性

語り言葉は基本的には不十分なものですが、それに対して別の意味ではやはり不十分な書き言葉が補い合うかたちで、対話は成り立つわけです。このように、言葉の二重性が対話を成立させます。目の前に相手がいないと対話はできませんが、同時に目の前にいない相手がなくては、対話は成立しないのです。

プラトンが対話篇を書いていた時、ソクラテスはすでに死んでいますので、プラトンがソクラテスの語った言葉の意味を考えたいと思っても、彼はその場にいません。ところが、その亡くなった相手と対話をしているのが、書かれた対話、つまり対話篇です。

私たちはふつう目の前にいる人と、ある場で対話します。しかし、それは完結しません。そのため、そこにいない不在の相手と対話を続けなければならないのです。そのような二重性、いわば水平の対話と垂直な対話篇が交差し折り合わないと、対話は成立しません。

ですから今、私たちが交わしている対話が上手くいかないからといって、それは当たり前です。対話を客観化するメタの視点がないと、対話そのものが成立しないからです。対話を試みても上手くいかないというのは仕方ないことですし、むしろそれがより豊かな成果を生みます。対話をメタ・レベルで遂行し完成させること、それが哲学の仕事なのです。

第5回

対話が目指すところ

言葉としての思考

対話をめぐる基礎考察の最後に、改めて対話、つまりディアロゴスの根幹にある言葉、ロゴスについて考えます。言葉とはどういうものか、私たち人間はなぜ言葉を発するのかという問題です。対話という問題を哲学から見るとどうなるのでしょうか。三つのポイントがあります。言葉は伝達の道具ではなく思考そのものだということ、言葉は現実を形作ること、そして、言葉は相手に発することで成り立つことです。一つずつ見ていきましょう。

私たちは通常、心の中にある考えを、言葉という手段で相手に伝えると思っています。しかし、その見方は言葉の本性を捉え損なっています。まず、考えがあってそれを言葉にして運ぶのではなく、私たちはそもそも言葉で考えているのです。心の中でもやもやしたなにかを言葉にまとめるには、たしかにステップが必要ですが、考えは言葉とはけっして独立に存在するものではありません。しかも、言葉があってなにかを人に伝えるのではなくて、そもそも言葉を発すること自体が伝達となっているのです。言葉を道具だというのはまったく不正確で、言葉そのものがすべての事態を成立させているはずです。

第二に、言葉はたんになにかを映し取ったり、記述して情報を伝えたりするものではありません。言葉は現実を作り、変えていきます。もっと言うと、言葉を語る人、語られた相手のあり方を変えていくものです。典型的には、「私はあなたが好きです」や「結婚しましょう」といった発言は、たんに私の心のあり方を表示するのではなく、この発言によって二人の現実を新たに作る行為なのです。哲学で「言語行為（スピーチ・アクト）」と呼ばれる語りの遂行は、けっして特殊な言葉のあり方ではありません。正しい人、信頼できる人、人のあり方は、自分と他者がどう言葉を語っていくかで形作られるはずです。

第三に、言葉はだれかが一人で発するものではなく、聞く相手がいてその人に向けて発せられるものです。つまり、言葉は最初から対話的なものだと言えるでしょう。私一人だけの言葉というものは、実は存在しません。つまり、言葉は語り聞くという相互的なものとして成り立っているので、言葉があるから対話が成り立つのではなく、そもそも言葉が対話的だと言えるのです。

私が今こうやって言葉を発するのは、皆さんが読み聴いてくださるからであり、私もそれを前提にしています。対話の方が先行するのです。誰もいないところで自分一人の頭の中で思考しているとして、それも言葉だと思われるかもしれませんが、それは自分と交わす対話です。つまり、思考は、言葉を自分の内に向けて発する二次的な対話なのです。相手に向けるのではない言葉、なにかを作り出すことを目指さない言葉は、言葉の役割を果たすことはありません。

対話が目指すもの

以上の三点を念頭において、対話が何を目指しているのかを考えてみましょう。

まず、対話はなにかすでにあるメッセージや情報を相手に伝えるものではありません。言葉を語ることはそれをつうじて思考していくことであり、二人で言葉を交わすことは一緒に考えていくことです。したがって、対話の目標は、特定の主題についてお互いに知恵を出し合って考えを進めていくことにあります。たとえば、「正義とは何か」「これこれの行為は正しいのか」、そういった問いを発してこの主題について顔を突き合わせて議論していくのです。

その対話が目指すところは、まずは合意にあると言えるかもしれません。しかし、政治家の対話ではありませんので、双方がどこかで妥協して協定を結ぶということが目指されているわけではありません。一つの結論が得られ、二人がそれで納得して決着することは、あればより良いかもしれませんが、必ずしも最終地点として設定させるべきではないでしょう。合意ができなかったから対話は成立しなかった、無駄だったと言うべきではないからです。合意ができなかったということも、一つの立派な対話の結果だったはずです。

しかし、これはなかなか微妙な問題です。はじめから合意など目指さないと開き直ってしまっては、対話は始まりません。つまり、目標地点のない対話は、たんなる会話やおしゃべりになりかねません。反対に、完全に合意して二人の意見が一致してしまったら、対話はそれ以上必要ありません。あえて言えば、そこに至らないギリギリのところが目指されるのかもしれないのです。結局対話とは何かと言うと、同じ言葉について論じ尽くしてお互いにできる限り理解する、そのなかで自分の立場を形作ったり再検討したりしてさらに主張していく。そのあたりが期待される結果なのではないでしょうか。合意や理解は、二人の思いが限りなく一つに重なる地点ですが、それはあくまで理想の焦点です。

対話が論じ尽くすことを目指す時、二人はある共通のものを目指しているはずです。言葉を交わす人たちがまったく別の方向を向いていたり、そもそも同じ方向など見ることができないと考えていたりしたら、やはり対話は成立しません。そのなにかが、真理と呼ばれるものです。一つの真理を目指すなど危険だ、幻想だという意見をよく聞きます。しかし、真理とは私たちが同じ言葉を使いながら一緒に考えること、この対話を可能にする、いわば場の成立根拠です。一つの共通の場が成立していないところでは、一緒に生きることすらできません。その場を照らし出す光のようなものが、真理と呼ばれてきたものなのでしょう。

対話の生真面目さ

合意といった具体的な成果が出てこないとしたら、対話などしても意味がない。そんなことを思っている人は、たぶん対話を行うことはできません。対話の可能性を信じない者、対話とは何かが分からない者は対話を行えないと言ったら、きっと猛烈に反発されることでしょう。ですが、これは特におかしなことではありません。将棋のルールを知らない人、将棋というゲームが成立すると信じていない人には、将棋を行うことも楽しむこともできないはずです。

対話が私たちの生き方を作ってくれている、対話によって生かされていると考えるべきです。対話をなにかの役に立てようとか、そこから利益や成果を得ようと思っている人には、やはり対話はできません。それはなぜでしょう。対話とは、自分が結局は大切なことは分かっていないのだ、自分自身のことすら知らない存在であると自覚させてくれる契機です。分からないという事態を明瞭にしてくれることが対話の本質であるのに、それを自覚しないで傲慢(ごうまん)にもそれを利用しようとしたら、それこそ対話とは正反対の精神になってしまいます。

ソクラテスがいつも対話を始める際に語っていたように、「私はこのことを知らない。だからあなたと一緒に議論したいのだ」という姿勢が、対話には何よりも大切です。対話は相手になにかを教えてあげることでも、自分がなにかを得ることでもありません。もっと言うと、対話する人は失うべきものは何一つもっていない。だから、真理に向けて一所懸命に言葉を交わしていくのです。一緒に対話をしていくこと、それ自体が人間の義務であり、生きがいであり幸福なのだと私は考えます。私たちが対話を生かすというより、対話が私たちを生かしてくれているからです。

「知らない」「分からない」とはどういうことでしょう。自分の能力や努力の不足を開き直る場合に発せられる言い訳は除きます。つまり、たんにきちんと考えておらず、必要なことを学んでいないといった怠惰の場合も、「知らない」「分からない」という言葉で片付けられます。しかし、そうではなく、本当に探求の末にぎりぎりの自覚として「知らない」という場合、それこそが哲学の基盤となります。なぜでしょう。通常私たちは、なんらか知っている。はっきりと言葉にしていなくても、すぐに説明できるはずだと信じています。ですが、対話による問題をつうじて明らかになるのは、それが思い込みに過ぎないという事態です。言葉できちんと言えないにもかかわらず、知っているというのは誤りです。証明が与えられないのにその定理を知っていると主張したり、理由が説明できないのに学説を知っていると言うようなものです。

対話は、その主題についてある程度は分かっていると思っていた対話者の思い込みを、思いがけないかたちで破壊します。それが対話の最大の効果なのです。対話の成果は結論や合意や知識をもたらすというより、思い込みを壊して私たちを無にするという、破壊的なものです。それに付き合う真面目さが要求されます。

新たなものの創造

真理を目指す対話は、けっして全体主義的なものではありません。対話は画一的な考えの押し付けになることはなく、むしろまったく新しい考えや見方を私たちにもたらしてくれます。もしもどちらかが自分の考えを相手に強制するとしたら、それはもはや対話ではなく説得か強要です。それを拒否する自由な精神が、初めて真理を目指すことができるはずです。対話は自立した個人の間で初めて成立するものだからです。

言葉が現実と私たちのあり方を作り出すように、真理に向けて言葉を投げかけることで、私たちは今のあり方を超えていくのです。クリエイティヴィティ、創造性という言葉はよく聞きますが、対話がもたらす制作こそがその名に値するはずです。では、創り出すとは何でしょう。

あなたが私と対話で言葉を交わしていくなかで、はじめはどちらも思いもかけていなかった考え方が生み出されます。そこに生まれた言葉は、どちらかが最初から持っていた考えではありません。また、それは、どちらか一方が他方に提示したものというより、二人の間で生まれ出たものではないでしょうか。さらに言うと、言葉を新たな子供として生み出したのは、私たちが行っている対話なのです。対話から生まれる言葉は、どちらか一方では作り出せないものです。それは二人のものですらなく、二人から離れて自立した、新たな生命をもって生きていく言葉なのです。

それは、とりわけ書き残され、読み継がれることで、普遍性を手に入れ永遠の命を宿します。対話こそ、私たち有限な人間が永遠という次元に関わる瞬間なのです。

第二部

危ない対話への勇気

第6回

言論嫌いという病

対話の危険性

第一部では「対話とは何か」の基礎を考えました。引き続き第二部では、対話を行うことの危険性から考察を進めます。

「危険性」というと否定的に聞こえ、対話などしてはいけない、という意味にとられるかもしれませんが、けっしてそうではありません。では、それを論じる意味はどこにあるのでしょう。内実についてきちんと考えずに「対話は素晴らしい、対話が必要だ」と口にする昨今の風潮は、対話の持つ重要な側面を無視することで、かえって対話そのものを退ける結果へと私たちを導くかもしれないからです。その重要な側面とは、対話は必ずしも上手くいくものではなく、それにもかかわらず対話にチャレンジするには大きな勇気が必要だという点です。

すでに見てきたように、対話はなにか特定の目的を達成するための手段ではありません。もし対話を行う人が成果を目指して、その成否や達成度を基準にして対話が上手くいったかいかなかったかを判定するとしたらどうでしょう。そして、上手くいかなかった対話はやった意味がなかったのであり、そんな無駄なことをする時間があったら、対話などせずに直接実行に移した方が良かったと考えたらどうでしょう。それは私たちの社会にとって非常に危険な事態となります。言論の自由、民主主義が直面する危機です。

第二部では、対話を行うということがけっしてきれいごとではなく、危険に挑む勇気と覚悟が要ることを考えていきます。これは最近の日本での安易な「対話」重視への警告でもありますが、その意図は、真の対話が実現することに向けられています。現状に見られる態度のまま対話を推奨していくと、おそらく必ずや逆効果が現れます。つまり、対話がうわべのものに過ぎないという蔑視や嫌悪が生じてくるはずです。とりわけ、子供たちにとって、「対話しなさい」と言われていながら、大人がまったく対話など行っていない状況を日々目(ま)の当たりにしたり、見かけだけの対話で学校の成績をつけられたりしたら、必ず起こってしまうような危険な事態です。

言論嫌いの誕生

現代を特徴づける病があります。プラトンが『パイドン』で論じた「ミソロゴス」、つまり「言論嫌い」です。それは古代ギリシアに限らず、言葉を使って生きる私たち人間のだれもが、いつでも陥りかねない危険であり、病のように人から人へと感染していく状態なのです。そんなあり方がどうやって生まれるかを、ある人物と並べて見てみましょう。

一人の実直な男が平凡な生活をしていました。彼は仕事でAという人物と親しくなり、全幅の信頼を寄せて一緒に事業を起こす相談をします。男は自分がこれまで稼いできた金を出資しますが、Aはそれを持ち逃げします。男はAの裏切りに怒りますが、失敗を挽回しようとして、今度はBという男を信用し、彼からもちかけられた儲け話にひっかかって借金まで背負いこみます。そうして騙(だま)されてはその都度憤りを膨らませますが、そんな彼を慰めてくれた女性Cさんを好きになり結婚を約束します。ですが、それすらも実は詐欺で、財産はおろか生命させ失いかねない危機に直面します。そこで男は考えます。自分はあの連中を真の友人であり伴侶であると信じていたのに、彼らは自分のことをただの金づるとしか見ていなかった。所詮人間なんてそんなものであり、誰一人信頼できる人などこの世にはいないのだ、この世とはそんな虚しい場に過ぎない。彼はそうして人間を避け、引きこもって一生を生きていくことにしました。

この「人間嫌い」の誕生を聞いて、どう思いますか。その人に同情はするものの、たとえば、彼に手を差し伸べるかどうかを考えると、なにか割り切れないものも感じるのではないでしょうか。では、この人物とよく似た別の人を見てみましょう。

ある女性が充実した人生を送りたいと望んで、書店で見つけた成功の秘訣という本を読んで、そこに書かれていることを忠実に実践します。その本のおかげで、はじめは人々からの好感度も上がり、仕事も人間関係も順調でした。ところが、ふとしたきっかけで彼女の振舞いが仲間から嫌われる出来事が起こります。すると彼女は、その本の指南が間違っていたのだと思い、別の本に乗り換えます。しかし、そうして迷っていろいろな教えを取り入れようとすればするほど、自分も混乱するし周りの人たちからの目もきつくなっていきます。すると彼女は、本に書いてあることなど一切信用できないと考えて、今度は高い授業料を払って啓発セミナーに参加します。そこでも、はじめはとても有益な教えだと感じて人生がバラ色に見えましたが、すぐに色あせて灰色どころか暗黒になってしまいます。その女性は結局、世の中に出回っている言論はすべて嘘っぱちで、どこにも真実なんてない、自分は信じて騙されて傷ついてしまった。金輪際、言論なんて信用するものか、そう思い、世の中を呪って淋しく生きていきます。

こちらは人間嫌いをもじって「言論嫌い」と呼びましょう。では、人間嫌いの男性と言論嫌いの女性は、どこに問題があったのでしょう。人間を嫌うことと言論を嫌うことには異なる面もあります。ですが、まず二人に共通するのは、最初から安易に他人や言説を信用してしまい、それがすべてだ、絶対に正しいと思い込んでいた点にありそうです。世の中に全面的に信頼できる人物がそれほどたくさんいて、すぐに見つかるなんてことはまずないでしょう。また、仮に素晴らしいと思える人物に出会ったとしても、その人の本当の姿や評価は長年の付き合いをつうじて確かめていかなければなりません。言論についても同様で、ベストセラーの著者が書いた人生の指南書だからといって、それが自分にとって役立つかは慎重に試していくべきであり、あたかも魔法の呪文のようにすべての問題を解決してくれると期待したことが、そもそも甘かったはずです。

彼らの問題点は、さらに、そうして被った失敗をきちんと反省することなく、また同じ失敗を繰り返してしまったことです。人生に失敗はつきものですし、それは苦くても大切な経験になります。ですが、あの二人は、その失敗に世の終わりというほどのショックを感じながら、結局そこから何も学びませんでした。失敗を生かさなかっただけでなく、自分を裏切った相手だけを非難し、さらにそれ以外の人々や言論にも八つ当たりして、「結局人間なんて信じられない」とか「どんな言論にも真理などない」などと嘯(うそぶ)いてしまったのです。

彼らに欠けていたのは、自分自身への批判的な眼差し、そして人間や言論への洞察です。騙された自分のどこが甘かったのか、失敗したのは何が不十分だったのかをきちんと反省することなく、結局その都度相手だけに責任を向けることで、自分自身が良い方向に変わるチャンスを逸していたのです。そこで考えるべきだったのは、人間には良い人も悪い人もおり、その中で自分で一人ひとりのあり方を見極めながら注意しながら付き合っていくという基本であり、言論についても、正しい言論と間違った言論がある以上、それらを丁寧に吟味して見分ける技法を身につける必要があったのです。あの二人は、それらの点をまったく無視して、ただ自分がかわいそうだ、相手が悪いのだと文句を言いながら、結局は言葉のすべてを呪い、世を拗(す)ねて、悲惨な人生に陥ってしまったのです。

言論不信の増幅

今日(こんにち)憂慮すべきことに、真理などどこにもない、すべてはフェイク(作りごと、まやかし)で信用できない、という過剰な不信が広まっています。過剰な不信は、特定の人や立場だけを盲信する過剰な信奉の裏返しです。「ポスト・トゥルース」と呼ばれる状況は、本当に正しいことと間違ったことを見分ける努力と責任を放棄して、そもそも正しいと間違いとの違いすらないと開き直る「言論嫌い」の極致です。

言論嫌いは私たちの最大の敵です。ですが、言論嫌いに陥るきっかけは、私たちの周りのいたるところにあります。とりわけ、今日の社会では、言葉への信頼があっさりと踏みにじられ、だれも責任をとらずに他人に「自己責任だ」と押し付けて言い逃れます。対話を交わそうと真面目に言葉を受け取る私たちはその都度裏切られ、虚しさとやるせなさに、結局は不感症になってやり過ごすしかないと諦めてしまいます。

政治家でも役人でも企業家でも教師でも、とても残念なことに、平気で嘘をつきます。嘘をついているという自責の念やためらいすら示さず、平然とあれこれと場当たりの虚偽を口にしたり、今言ったことはその言葉の意味ではないなどと言い訳を重ねたりします。言葉を受け取って真面目に応じようとする者ほど、馬鹿をみたように感じ、徒労感を抱きます。

言葉に責任を持たない人は、人間としてもっとも基本的ななにかを欠いています。どれほど資産や地位があっても、どれほど能力があっても、人間のあり方として失格な人をそれ以上頼ることはできません。そんな人と対話しようとしても失敗するのは目に見えています。そもそも対話をする気のない人と対話をすることの危険性は、慎重に見積もる必要があるでしょう。

しかし、私たちの社会ではそんな人をあちこちで目にし、嫌でもそんな連中と付き合っていかなければなりません。そんな時、真面目に生きようとする人ほど不信に陥り、傷ついて嫌悪を増幅させてしまいます。最初から他人を信じない人は裏切られたり傷ついたりすることもありません。ですが、そんな生き方が望ましいでしょうか。

不信を重ねて最終的に人生を投げ出してしまう前に、自分にできることは何か、自分に不十分な点はなかったかを点検してみる、そのために対話と言論への理解が必須なのです。

技法の必要性

言論嫌いの人の考え方を確認しましょう。あらゆる言論は信頼できず、確実ではない、なぜなら、世の中に確実なものなどなく、真理なんて存在しないからだ。これがその人がたどり着いた結論です。それは結局は自分の責任を他人に押し付け、言論や世界そのものが悪いのだとする都合の良い現実逃避に過ぎません。

人と付き合うには、マナーや常識、さらに人間とは何かの経験と認識が必要です。言葉についても、この世界で上手くいかないという理由だけで信用しないのではなく、どうしたら言葉を信じて生きることができるか、自分にできる役割と責任とは何かを、改めて考える必要があるのです。言葉を使用するには、言葉とは何か、対話とは何かを理解して、それと正しく付き合う「技法」が必要なのです。

　言葉を信用しない、言葉なんてだめだと言う人には、改善への反省、つまり、言論についての技法や訓練が不足しています。相手の問題があるにしても、それより前に、まず自分自身を振り返らなければなりません。

　言葉を信用しないということは、実は人間を信用しないということです。それは人間である自分自身すら信頼できないということです。世の中も人生も信頼しないところで、幸福な生き方ができるはずはありません。言論嫌いという現代の病は、私たちに不幸を生み出す元凶なのです。それは、対話を信じないことで、対話を失敗させかねない危険です。言論嫌いを避ける道は、真摯に言論の技法を追求していくことしかありません。

第7回

答えの得られない問い

対話行為の意義

では、対話の技法について考えていきましょう。まず、対話にとって困難は本質的なものです。困難ということは、それを遂行して全うすることが難しいという意味です。すると、対話は結局上手くいかない、従事しても何も得られないのならやっても意味はないという疑念が起こります。答えが出ない問いに関わる対話の意義はどこにあるのか、その点を考えていきましょう。

私たちが行う行為のなかには、なにかの目標を立てて、それを達成することで意味を持つ種類のものと、そうでない種類があります。これはアリストテレスが提案した行為の区別ですが、対話について考える上でも有効です。

なにかを成し遂げたり作り上げたりすることが目標となっている場合、その過程はたんなる手段と見なされます。たとえば、自宅から一キロほど離れた駅に行く場合、歩いて行くか自転車か自動車で行くか、あるいはバスなど公共交通で行くかは、他の条件はさまざまでも、駅に行くという行為においては基本的に同じです。指定席をとった列車に乗るため駅に行く場合、間に合うか間に合わないかが決定的に重要になります。歩いて行ったため乗り遅れてしまったら、そもそも駅まで行った意味がないことになります。あるいは、途中まで進んだ時点でなにかの事情で駅に行くことを取りやめたとしたら、やはりそれまでの移動に意味はなくなります。このように、目標や成果を基準にして判断される行為は、私たちの日常にはたくさんあります。試験を受けるとか、ダイエットするとか、そういった行為は結果次第で判定されるのです。

それに対して、そもそも成果や結果を目指すのではない種類の行為もあります。駅まで歩いて行くのは、列車に間に合わなければ無意味と見なされますが、駅までの歩行が健康のためや気晴らしのためであれば、たとえ駅までたどり着かなくても、あるいは気が変わって別の道筋をとっても、途中までの歩行にも十分に意味が認められます。このような行為が前の種類と違うのは、その行為の外に目標や成果があるのではない点です。健康や気晴らしも成果で判断されると言われるかもしれませんが、構造は大きく違います。

より明確にするために、なにかを作るという場面で対比してみましょう。家を制作する建築という行為において、家が無事に完成したら建築という過程は終わりますが、逆に建築がなされている最中に家はまだありません。結果としての家と過程としての建築は、それぞれ外的な関係にあり、建築は家という目標の達成によって判断されます。対照的に、学習という行為は、学んでいる活動の全ステップが有意義であり、特定の成果を上げなくても学習したと言われます。アリストテレスが区別したのは、このような制作的行為と活動的行為です。

二種類の行為と言ってきましたが、同じ一つの行為が違った扱いで理解されることもあります。試験のために勉強したが落第してしまった場合、試験勉強がまったく意味がなかったのであり、そもそもそんな努力をしなければよかったと考える人もいます。ですが、たとえ試験には受からなくても試験を目指して勉強したこと自体が有意義であり、それを行ったことは良いことだったと納得する人もいるでしょう。

このように長々と行為の区別を検討してきたのは、対話という行為に光を当てるためです。対話の目標が特定の問題に結論を出すこと、そして対話する人たちの間で合意を作ることだとすると（第五回参照）、試験に受かることと同じく、その成否が対話の意味判断の基準になります。しかし、対話がそのような外在的な目標や成果のための過程や手段ではなく、それ自体で意味を持つ行為であるとしたらどうでしょう。対話を行うことそれ自体が重要であり、結果の成否で意義が決まらないとしたら、答えの出せない問いに向き合うこと、その問いをめぐって対話しつづけることに意義が見出せるのではないでしょうか。

対話が掘り起こす問題

哲学が関わるのは、おそらくけっして答えが出ない問題です。人生の意義や幸福や愛、宇宙や存在の真理について、人類は何千年も考えつづけてきましたが、未だに答えは出ていません。ですが、そう言い切ってしまうと、ふつう私たちが交わしている対話との関係で違和感があるかもしれません。たしかに、一つの主題について交わすのが対話だとして（第二回参照）、その主題はごく身近なものであってもよいはずです。ですが、対話が関わる問題とは、必ずしも個々の主題で終わるものではありません。この点を具体的に考えてみましょう。

学校で最近起こっている問題、たとえばいじめをテーマにして、それをめぐってクラスで生徒たちが議論します。数人の生徒がいじめを受けていると訴え、その問題を解決するために話し合う集会で、一種の対話が行われます。特定の生徒を糾弾するのではなく、より広くいじめ問題について考えるという趣旨で集まっているからです。

個々のケースの検証や事実の認識も重要となります。その場合でも「いじめとは何か」をめぐって、それなりに難しい問題が起こりそうです。ある人は、特定の行為や人間関係を「いじり」であって「いじめ」ではないとして、フレンドリーな関係だと主張します。別の人は、行為そのものではなく、それを受け取った側の意識、つまり被害者の負の感情が問題だと考えます。さらに、いじめは人間同士の関係にはつきもので、ある種の潤滑油になるとか、人生の経験になるとか言う人もいるかもしれません。このように多様な意見が出ることは、けっして悪いことではありません。むしろ自由に意見をぶつけ合うことは、健全な対話の遂行と言えるでしょう。

では、その後どのように議論が進むのでしょうか。クラスの問題を話し合う集会である以上、なにかの方針を打ち出さなければなりません。たとえば、クラス全員で協力して互いに注意し合うといった解決案が出るかもしれません。ですが、これを対話と見なす限り、そのような結論はそれほど重要ではないことになります。クラスで一致して「いじめ撲滅」を訴えたとして、心の中では違和感を抱く人もいるかもしれません。その意味で、結論を出して終わりにしてしまうことは、対話を行うという点では不徹底で、本来的ではないことになります。では、どうすればよかったのでしょう。

いじめの是非という主題をめぐってじっくりと、徹底的に対話をしていくと、必ずそれに収まらないより深い問題が姿を現します。たとえば、友達同士の付き合いで多少のいじりは許されるし、むしろ楽しさを増すという意見が出ます。そうすると「友人とは何か」「友情とは何か」が問題になるでしょう。

一緒にいて楽しければ友人と言えるのか、あるいは、なにかの利益を得るために関わるのが友人かが問題になります。楽しい仲間が友だとすると、その一部がいじめをして快楽を得たとして、いじめられた方が苦痛を感じても友人でしょうか。一人だけが嫌な思いをしても他の全員がハッピーなら全体の幸福度は最大になったと言えるのでしょうか。また、互いに勉強を教え合って成績をあげる仲間が友人だとして、その中でいじめがあったとして、利益を得ているのだから少しくらい辛抱しろという論理はどうでしょう。

ここでは、倫理学の主要テーマである「友愛」をめぐる基本的な問題が登場しています。哲学の次元では、共に善く生きるとはどういうことか、全体の利益のための一部が犠牲になることは許されるか、個人の権利とは何か、そういった昔からの問題が論じられます。ですが、人と人とが尊重し合いながら共に生きる、そんな人間関係が友人だとすると、おそらくそこにいじめが入り込む余地はありません。

対話がもし表面的な事柄を論じるだけで、その場の解決や方針を出すことで終わると考えるのでなければ、そういった具体的な場面と議論をつうじて、より根源的な問題について私たちは意見を交わしていることになります。それらは、数千年の人類の歴史において、これまで絶えず議論されてきたにもかかわらず、決定的な解決も、誰もが納得できる答えも出せなかったような哲学の問題なのです。対話がけっして終わらないという困難の根は、ここにあります。

対話の哲学的意義

私たちが対話をつうじて向き合うのは、個別のテーマの奥にある哲学的な問題です。それがほとんど答えの出ないことだとして、では、答えの得られない問いに向き合って対話を続ける意味はあるのでしょうか。それを遂行するのはとても困難なことであり、ほとんど辛抱できないようなものに見えます。

いじめをめぐってクラスで対話集会を行い、そこで実効的な方策が合意されたとしましょう。それで対話が有意義に行われたことになるのでしょうか。反対に、合意に至らず、さまざまな意見が出されて対立したまま終わった対話は、何の意義もなかったことになるのでしょうか。もしいずれにしても根本的な哲学の問題は答えの出ないものだとすると、いじめという具体的な問題も原理的には解決できないものだということになりそうです。そうだとすると、どちらにしても決定的な違いはないと思われるでしょう。

無論、クラスで話し合うことで少しでもいじめに対して望ましい状態を作り出すことは大切ですので、みんなで取り組む具体的な方策を考えてそれを実行に移す意義に疑いはありません。ですが、あくまで対話として捉える場合、合意という成果よりも、むしろその問題をどこまできちんと話し合えたか、表面的な議論やステレオタイプな見方から離れて、問題の本質を掘り起こし、そこに横たわる問題を見据えたかということが重要になるはずです。もし対話がその点で大きく貢献したのであれば、たとえ集会が決裂に終わって合意が得られなくても、対話が無意味だったとか失敗だったとかいう必要はなくなります。

これを逆に考えてはいけません。対話は失敗した方が良いのだ、失敗するとは哲学的に有意義だったことであり、合意が得られたら哲学的には不徹底だというふうに考えるのは本末転倒です。クラスで意見を述べて合意に達するという営み、それは社会では「政治」にあたりますが、政治は、問題を突き詰めて考えることでその根源にある人間や世界の謎について考察し批判的に議論する「哲学」とは別の営みだということになります。ですから、政治の成功や失敗は、哲学の意義には直結しないのです。

民主主義と対話

対話が困難だという考察が、私たちの生きる世界でどんな意味を持つのかを最後に考えてみましょう。私たちの社会の基盤となっている、民主主義という観点です。

クラスでいじめ問題を話し合ったことは、そうでないやり方での解決とどう違うのでしょうか。いじめがあるという問題が生じたら、クラスの生徒で話し合わなくても解決策はたくさんあります。先生や学校の責任者が規則を決めたり、命令を出すことで解決を図ることもあるでしょう。あるいは、ＰＴＡや地域の教育委員会など、別の組織が出てきて判断をすることもありそうです。実際、経験豊富な大人が下す判断や、他の事例につうじた教育関係者が決めた方針がより効果を発揮するのはありそうです。それにもかかわらず、生徒たちで話し合ったとして、なにか意味があるのでしょうか。それは、彼らがいじめ問題の当事者であり、何よりも自分たちで問題を考えて理解していかなければ、問題は解決には向かわないからです。

民主主義というシステムは、ちょうどそのクラスの話し合いに似ています。政治はその社会をどう運営するかの仕組み作りと実行ですが、そこでは一部の専門家ではなく、当事者である市民全員が自分たちの責任で議論をして一定の合意を得ていきます。意見は必然的に多様で対立するので、合意という決着には便宜的に多数決という手段を取ります。あるいは、選挙などで選出された代表者によって決定されることになります。しかし、生徒の問題を学校や教育委員会が一方的に裁断するように、一部の権力者が当事者とは別に、話し合うことなくすべてを決めるとしたら、それは民主主義に適ったやり方ではありません。

政治と哲学は異なります。いつまでも対話しながら答えを出せない状況を政治は嫌いますし、実際にはタイムリミットを設けて多数決などのプロセスを経て決着をつけます。ですが、民主主義という政治の基礎には対話、つまり当事者が自分たちで話し合い理解していくという言葉の営みが必須です。なによりもそこで少数意見に耳を傾け尊重する姿勢が、多数決とセットになります。そのためには根本的な問いを問い続ける忍耐力、その意義の理解は欠かせません。答えが出ないことにいらだつことなく、対話を遂行する困難に絶望することなく、問題を一つずつ一緒に辛抱強くきちんと考えながら問題を理解していくこと、それが私たちがより善く生きていく場を作っていくはずです。反対に、政治的決着をつけるために多様な異論を封じることは、言論の自由という人間の基本を損ねることにより、政治そのものを殺してしまいます。そんな社会には豊かさも幸せもありません。対話はその意味で、真の政治と私たちの幸福を実現する哲学的な基盤となるはずです。

第8回

対話の衝撃を受け止める

対話のぶつかり合い

対話という言葉が「対決、対抗」といった厳しいニュアンスを含むことは、第一回で触れました。対話はけっして穏便な決着を目指すものではありません。甘美な万能薬ではなく、むしろ苦さに耐えながら効力を試していく医療薬のようなものだと考えるべきでしょう。処方を誤るとかえって悪い効果を引き起こす毒薬にもなります。対話の技法が考慮すべき危険性には、二つの方向があります。一つ目は、言葉が相手に対して揮(ふる)う攻撃性や破壊性、二つ目は、言葉が相手を取り込み動かす支配性や煽動性です。今回はこのうち、第一の点について考えてみましょう。

対話する相手とはどんな存在でしょうか。もちろん言葉を話しかける相手ですが、同時にその人の反応を求める相手でもあります。一緒に議論するテーマについて、あなたになにかアイデアがある場面を考えてください。あなたはそれを上手く表現することで、対話相手に理解してもらい、同意を得たいと思っています。ところが、どうやらその人はあなたとは違う見解を持っているようで、あなたが当然だと思っていた考えに対して、いちいち疑問を返してきます。「それは一体どういうことなの」と聞かれ、くわしく説明しなくてはならなくなります。また、「そんなことはないんじゃないかな」と反対され、その論点を使えなくなる場面もあります。そうしたやりとりをつうじて、あなたはだんだんイライラしてきます。この人は頭が悪くて理解力が鈍いんじゃないか。いや、わざと嫌がらせをして、僕が言いたいことを認めないのかもしれない。そうして対話のムードは険悪になり、相手にひどい言葉を投げかけたり、怒って対話を打ち切ったりしてしまいます。

対話がぶつかり合いになり失敗すること、いわゆる喧嘩別れは、とても残念ではありますが、けっして珍しいことではありません。ここで一体何が起こったのかを反省してみましょう。

あなたは自明だと思っていたいくつかの考えを相手に受け入れてもらえませんでした。だから、途中でいらだって相手が対話を妨げていると思ってしまったようです。ですが、私たちが自分ではそうだと思っていることが、他の人から見ると納得がいかない、あるいは間違っているように見えることはよくあります。その相手が間違っていることも無論あるでしょうが、まず立ち止まって冷静に反省すべきなのは、自分の方です。当初の考えが不十分だったのかもしれませんし、説明が足らずに理解してもらえなかっただけかもしれません。相手の反応が自分の思う通りでなかったからといって、それは対話においては当然のこと、むしろ予期されたことなのです、

対話をしようとしたのは、相手に自分の考えを有無を言わせずに飲み込ませるためではなく、一緒に考えてもらい、本当にそれで良いと思えば合意してもらい、そうでなければ修正や対案などを出してもらうためではなかったでしょうか。そうだとすると、よほどひどい相手でない限り、ぶつかり合って対話が上手く進まないことは、吉兆であり、望ましいことだと考えるべきなのです。

対話の相手は顔があり個性を持つ一人の人間です。あなたにもこだわりの信念があるからこそ、対話が盛り上がります。違う者同士だから対話をするのが面白い、そう思ってお互い

に辛抱しながらその状況を楽しみましょう。

感情の理性的コントロール

対話で交わす言葉は、それ自体では喉から発する空気の振動と、それを耳で感知する反応に過ぎません。しかし、その動きは、人の心にとってはとてつもない武器や凶器にもなります。言葉一つで人を殺すことも、生かすこともできるのです。大げさに聞こえるかもしれませんが、相手の心に突き刺さって絶望させることも、さらには心を破壊させることさえできるのです。

言葉に込められた考えそのものが私たちにとって重い意味を持つこともあります。ですが、それより手前で、言葉は直接心に働きかけ感情を動かします。感情という点を無視して対話を遂行することはできません。感情を揺さぶることは、対話を上手く進める戦略にもなりますが、対話を阻害する弱点にもなります。では、感情とはどんなものでしょうか。

私たちは人の言葉を聞くと、その内容を理性的に理解するとともに、それに対してなんらかの感情を抱きます。そもそも人と向き合って一緒にいるだけでなんらかの感情が起こりますが、対話の場面では交わされる言葉に特化して発生する点が特徴です。ある発言を聞くとそれに対してさまざまな反応が生じます。これから聞く緊張、意外なことを聞いた驚き、理解できないという不安、分かったという安心などです。心はつねに、ちょっとしたことで動きます。とりわけ、改めて向き合って対話する場合、身構えながら、より敏感に相手の言葉を受け止めがちです。そこから、一つひとつのやりとりが感情を上下させ、私たちは時にジェットコースターのようにスリルある心持ちを経験することになります。

相手の質問や応答は心を揺り動かします。ムッとしたり、ドキッとしたり、和(なご)んだり、感激したり。好感と反発という二つの極の間で、多様な感情が起こります。対話においてとりわけ重要なのは、怒りというネガティヴな感情です。相手の発言内容に対する怒りもありますが、たんに自分の考えとは違うことが語られたことで不愉快な思いを抱くこともあり、中身は別にして相手の言い方が気に障ることもあります。感情が沸き起こる原因は複合的で、繊細なものです。

冷静に客観的な判断をつねに行うためには、言葉の内容にかかわらず同じ態度をとることが必要です。とりわけ、自分の考えと異なるものへの向き合い方が重要となりますが、ある程度の訓練で理性によるコントロールは可能です。カッとしないで一呼吸おいて、他者の立場に立ってその言葉や自分の反応を分析することが有効です。

なにより難しいのは、言葉に付随して生じる感情の扱いです。たとえ相手の言った事柄そのものが正しくても、反発の感情が起こると素直に受け入れられなくなり、あえて反論や疑問を返してみたり、同意すべきところを拒否したりすることもあります。とくに、二人の関係が悪くなってしまうと、対話は否定的な心情によって停滞、あるいは破綻しかねません。

逆の場合もあります。相手に興味を持ってもらったり、賛同してもらったり、積極的に意見を言ってもらうには、肯定的な心情は良い働きをしてくれます。たんに場の雰囲気を和ませたり、相手の関心を惹くだけでも、対話は格段に上手く進みます。感情を理性的にコントロールすることは、対話する双方にとってとても重要なことです。感情は心と心が接する際のクッションのようなものだからです。

言葉と感情の豊かさ

感情をめぐる具体的な手法は一旦脇に置いておいて、ここではより本質的な問題を考えていきましょう。言葉と感情がどのように関係するかです。

私たちが言葉を発する場が感情から完全に切り離されることはありません。言葉は感情を包み込んで成り立っているからです。論理という側面だけを見れば、コンピュータが遂行する計算と同じで、真と偽、つまり正しいか間違っているかが問題です。しかし、その言葉を発するのがあくまで私たち人間であり、しかも身体の物理的な反応ではなく、心の間でのやりとりである以上、そこに心の状態としての感情が関わるのは当然でしょう。

言葉と感情の関係には、ほぼ一対一で定型化しているものもあります。たとえば「あなたは物分かりが悪い」などと言われたらカッとくるでしょうし、「あなたの言うことは素晴らしい」と言われたら嬉しくなるはずです。ですが、多くの場合、両者はそれほど単純に対応していません。同じ不満を述べるにしても、相手を怒らせずに意向をきちんと伝えることは可能ですし、むしろ、発言の趣旨を明瞭にするように促すこともできます。対話の現場では、実際には言い方、つまり口調や抑揚や前後の文脈、さらに間の取り方から顔つきや仕草まで、すべてが合わさって感情を生むことになります。

ここでぜひ考えておきたい点は、言葉の豊かさが感情の豊かさと連動すること、反対に、言葉が貧困になると感情をコントロールできなくなることです。語彙（ごい）やニュアンスが貧しいと、自然と語句や語気が強くなります。つまり、自分の言いたいことを丁寧に発信できないと、言葉以外の部分で相手に圧力をかけざるを得なくなります。まさか腕力で威嚇するわけにはいきませんので、強硬で荒っぽい言葉を使うのです。「断固」とか「けっして」とか「絶対に」とか言うのは、そんな事態の兆候です。

言葉が繊細で豊かに襞（ひだ）をもって意味を伝える場合、言葉そのものが自然に感情を担ってくれます。豊かさは心にゆとりと喜びをもたらしますので、対話を潤滑に進める絶好の基盤となります。言葉（ロゴス）に豊かさが必要なのは、理性（ロゴス）がきちんと育っていないと感情をコントロールできないからです。なによりも、言葉を豊かに持っていない人は、語る本人が本当は何を考えているかを明瞭に把握できない、それを表現できないという事態に陥ります。自分でもどかしくなると、言葉をすり抜けて暴力に走ってしまいます。それが言葉の暴力です。

　では、どのように言葉を豊かにしていくのかと言うと、対話をして上手く通じないという経験を積むのが一番です。つまり、挫折をつうじて言葉を語り受け止める訓練を積むのです。むしろ失敗を重ねながらもそこから反省して学ぶ、そこで改めて相手の立場に立って考えてみる、そんな姿勢が大切です。最初から挫折しない、あるいは挫折を許さないような社会は、その意味では危険だと感じます。

　また、豊穣（ほうじょう）な言葉には、文学や芸術に接することで精神を涵養（かんよう）することが何より大切です。対話以外でも、小説や詩や演劇や映画や落語など、さまざまな機会で言葉の能力を磨く情操育成の努力が必要です。

対立を受け入れる

　現代の病として、第六回で「言論嫌い」を取り上げました。もう一つ顕著な現代の問題点は、対立を避けること、言葉で議論することを回避する傾向です。

学校ではディベートの授業が導入され、議論に慣れた若者も増えてきているようですが、他方で昨今の傾向として、「場の空気を読む」という傾向、あるいは多数意見に反対せず同調することへの圧力が強まっています。直接言われなくても上司の意向を忖度するというのも、その一つです。気遣いするのは悪いことではありませんが、是々非々できちんと主張を行わないと元も子もありません。対話はある意味でぶつかり合いですので、それを避けるのは対話の拒否、否定です。私はそんな最近の傾向を危惧しています。

対話が人間のあり方を成立させるとすると、このような傾向は、一人ひとりが自立していないこと、つまり、自分がないことを意味します。自身で考えずにその場の雰囲気に流されるというのは、自分が人間としてきちんと成長していないということです。そこで、言葉は現状追認になり、現実をより善く変える力を失います。すると、空疎な言葉であっても強制や言論の武器になってしまいます。場を読む雰囲気の中で、言葉は相手の認可を促す儀式に過ぎなくなりますが、それはマイルドな見かけをした押し付けです。納得のいかないことにはきちんと異議を唱え、反論を述べること。その基本を失ってはなりません。

対話は別にきれいごとではなく、それによって傷つけ合うこともあります。ズバッと相手に痛いところを突かれたり、矛盾を指摘されたりするからです。私も学生や友人と議論してたまにやり込められると、やはり嫌な思いをします。しかし、それはそれで仕方ありません。それがないと対話にならないからです。むしろ、しばらく経つとそんなほろ苦い経験が大変懐かしく、ありがたく思い出されるものです。ですから、相違や対立を恐れずに、しかし相手を傷つけることなく、より良い形で対話を続けていく努力と忍耐が必要です。そのために必要なのは、相手を他の人間として尊重すること、言葉を信頼してこの現実を生きること、そして言葉が自分自身を変えながら生き方を形作る可能性に賭けることです。

第9回

言葉による誘惑

説得という言語行為

前回は言葉が破壊的な力を揮う(ふる)という負の側面から、それを受け止める感情の問題を考えました。今回はそれと対(つい)になる側面として、言葉が人を魅惑して動かす支配性について考えます。言葉の魔力という危険性です。

哲学の議論では、言葉はとかく世界のあり方を記述する手段だと見なされています。「東京都には千四百万人が住んでいる」とか「今日は晴れです」といった言表(げんぴょう)はたしかにそれぞれの事態、つまり人口と天気を記述しています。このような言表の特徴は、それが真か偽かを持つことです。前者は二〇二〇年では概ね(おおむ)真ですが、後者は本日はあいにく偽です。ですが、これらは言葉が果たす役割のごく一部に過ぎません。世界の記述とは区別される言葉のより広い働きとして「言語行為（スピーチ・アクト）」があることは、第五回ですでに紹介しました。言葉を語ることはそれ自体で世界や私たちのあり方を動かし、作っていくのです。私たちが検討している対話は、そのような行為遂行的な言葉に関わるものです。

対話を行うにあたっては、相手と一緒に考えたい、理解してもらいたい、あるいは相手から学びたいといったさまざまな意図と動機があります。それは言葉を交わすことによって何かの行為を遂行することです。そんな対話では、基本的にその相手に納得してもらうことが一つの目標になります。主題について意見を交わしてなんらかの合意を目指すのが対話であって、漫然とおしゃべりして終わりというのとは違うからです。納得する、納得させるというのは、広い意味では説得という言語行為です。

では、説得とは何でしょう。日本語では「説伏(せっぷく)・説服(せっぷく)」という単語もあり、相手を説き伏せて従わせることを意味します。英語では「パースウェイド persuade」や「コンヴィンス convince」にあたります。さらにさかのぼってギリシア語で「ペイテイン peithein」という動詞が説得にあたり、その受動態「ペイテスタイ」は納得している状態で「信じる（ピステウエイン）」と同じ意味になります。ギリシア神話には「ペイトー（説得）」という女神がいて文字通り説得を司（つかさど）っています。いかにも議論好きなギリシア人のイメージです。

飴（あめ）と鞭（むち）の使用

「飴と鞭」という言い方がありますが、説得する言葉は硬軟さまざまなやり方で目的を達成していきます。「飴」としては、たとえばその人にとって利益になることを強調したり貴重なチャンスだと決断を促したりします。他方で、対話は自由で対等な関係で行われるので「鞭」を使うというのはあまりふさわしくありませんが、言葉で圧力をかけることはしばしば起こります。権威に訴えることで虎の威を借りて相手の同意を得る場合などです。したがって、対話に長けた者は説得の技術を磨いて、相手や状況に応じた仕方で言葉によってその相手を動かすことになります。

しかし、言葉以外の手段を用いて相手を動かすことは、「説得」とは言っても比喩に過ぎません。利益が与えられると口先で説明する限りでは構いませんが、実際にプレゼントを与えたり目前に示したりするのは言語外の行為です。権力をチラつかせることやハラスメントも、言葉を語るだけでなく実際の力の行使を伴うこともあります。腕力で押さえつけたり相手の仕事を妨害するなどです。これらに関してしばしば評価が難しいのは、手を上げて殴ったら即暴力行為として処罰されますが、言葉を投げかけただけではそれが暴力にあたるかは判然としないからです。ですが、言葉による暴力の方がその曖昧な見かけと隠蔽性によってより深刻な問題を引き起こすことは、ハラスメントの問題をめぐって明らかになっています。「そんなつもりはなかった」とか「実際にはなにもやっていない」という言い訳は通用しません。ハラスメントは受け手との関係で起こるものなので、仮に加害者が無神経で意図せずに相手を傷つけたとしても、少なくとも過失傷害にあたります。意図を伴っている場合はいわば傷害や殺人未遂でしょう。

ですが、ここでは「飴」にあたる誘惑の側面に焦点をしぼって考察しましょう。説得はギリシアの昔から誘惑とセットで扱われてきました。言葉で相手を動かすことでは、脅しでいやいや強制的に従わせるよりも、当人が喜んで自ら進んで行う方がよほど高度な技術だからです。暴力で相手の行動を抑えつけて支配下におくことは無思慮でもできるかもしれませんが、言葉で説得して相手に行わせるには知恵が必要です。古代から「説得」が技術の対象とされ、説得術のマニュアルが数多く作られてきたのはそのためです。説得は自然に身につくというより、経験や事例から学びつつ技術として鍛える必要があるのです。

説得する三つの場面

「説得」を司る弁論術（レトリック）は古代ギリシアで成立して、ローマを経由して近現代のヨーロッパに受け継がれてきました。そこでは三つの場面が想定されています。

古代ギリシアの社会で説得の技術が必要とされたのは、まずは法廷での裁判です。現在日本で行われているような裁判員制度を採用していた民主政のアテナイでは、告発する側も弁明する側も言葉を駆使することで裁判員を説得して、自分に有利な投票をしてもらう必要がありました。この場合の必要とは、時には自分の生命がかかる重大なものです。言葉をどう使いどう説得できるかが生死を分ける鍵になりました。今日でも検察と弁護人の間で、説得の手法を駆使して判決が自分の提案に沿った方向になるように語りますよね。

また、政治家が議会で提案したり討論したりするのも同様で、議員である市民たちを言葉で説得して多数の票を得る必要があったからです。現代の日本では議会での言論の応酬が政策を決定しているようには見えませんが、少なくとも選挙の際には選挙演説によって有権者の得票を促しています。それが説得です。

もう一つ、古代ではオリンピックなどの祭典で披露する演示弁論がありました。人物や国家や事物の良さ美しさを称揚するもので、とりわけ魅惑という力を発揮するものでした。聴衆の好感を得て、訴えている内容に賛同してもらうことが演示が目指すところだからです。現代でこの場面に近いのは、コマーシャル、つまり商品の宣伝ではないでしょうか。売り買いでは商品の説明を冷静に判断してもらうのが理想ですが、十分に理解したうえで合意してもらうのが容易ではない時には、言葉の説得力をフル活用する必要があります。また逆に、それほど大きな抵抗はないものの、積極的に賛同する動機もないような場合も言葉が効力を発揮します。

商品を選んで買ってもらう時、その品質や特長の解説、あるいは他商品との比較が効果的です。それは当の対象を褒めてその良さを称揚する言論になるはずです。先ほど述べたような外在的な誘因、たとえば特典が付くとかお気に入りの女優が宣伝しているとかそういったことは除きます。あくまで言葉でその良さを称揚することが説得になります。推奨する商品が格段に優れているとか、他のメーカーが製造していない独自のものだという場合には、純粋に宣伝するだけで十分でしょう。しかし、競合する商品がたくさんあってどれを選んでも大差ない場合、他ではなくそれを買ってもらうのは容易ではありません。優秀さの宣伝には高等な説得のテクニックが必要です。

このように、伝統的に弁論術が取り扱ってきた説得という技法は、今日の私たちの社会でもさまざまな場面で使われています。第二回で検討したように、一方的に相手を説得することは双方向的な対話とは異なりますが、対話というあり方をつうじてなんらかの説得を試みることもあります。説得と納得とは、対になる双方向的な言語行為でもあるからです。

情報の統制と歪曲

では、説得が魔力を発揮する危険性とはどのようなものでしょうか。それは相手を虜（とりこ）にして、言うことをそのまま受け入れさせるような対話です。それは結局は、本来の対話が成立していない事態、見かけだけの対話ということになるかもしれません。

自分に都合のよい情報だけを流して信じさせることは、マインドコントロールの常です。逆に都合の悪い情報はすべて耳に入らないように物理的に閉ざすことが肝心です。たとえば、洗脳するために部屋に閉じ込めて一方的に説得するといったことは、インチキ商法や宗教団体の勧誘に用いられます。心理的に追い詰めるという面もありますが、判断材料となる意見から隔離することが主な目的です。

同じ考えの人ばかり集まる場所で盛り上がることも、反対意見から目を背けて自分の確信を高めるのに有効です。これも詐欺グループがよく使う手段ですよね。昨今ではインターネットやSNSが自動的にそのように選り好みを仕分けてくれています。つまり、一方の側の意見や情報ばかりが溢れて、反対の側は自動的に見えなくなる装置です。これは実に危険な傾向です。

一部の情報しか手に入らないと多くの問題が生じます。まず、なにかを判断するにあたっては、根拠となる情報がある程度は広い範囲から集められる必要があります。ある特定の見方に立っていてもそれとは異なる見方や判断材料が手元にあることで、より良い判定が可能になるからです。反対にごく限られた情報にしかアクセスできないと、もしその情報が歪んでいる場合にそれに気づかないという事態に陥ります。戦時中の「大本営発表」です。歪曲は意図的なものも、知らず知らずに生じたものもあるでしょうが、誤った認識に基づく判断は誤った行為を導き、時には取り返しのつかない最悪の結果をもたらします。

自分に都合の悪い情報や情報源を「フェイクだ」と断定してそこから目を背ける態度は、政治的にも人間的にも恥ずべきことですが、何よりもそうする本人たちに不利益になることを認識すべきです。私たち人間はだれも自分に合わない考えや都合の悪い事実は見たくないし聞きたくありません。不愉快に思うだけでなく、反発して相手を攻撃したくなることさえあります。自分の体調について聞きたいオピニオンだけを言ってくれる医者を探したら、その人は結局病気で身体を壊してしまうでしょう。地球温暖化についても、都合の悪い真実を無視しつづけたら、いずれ大変なことになってしまいます。

人と人が互いに言葉を交わす場を共有しながら生きていくためには、共同の場を閉ざして仲良しだけが集うようになると、そこで言論は死んでしまいます。仲間の賛同や賞賛や追従だけを聞くのは、その場では気持ちいいかもしれませんが、知性を眠らせて心を腐敗させます。反対に、真理と向き合う態度は苦く辛いこともありますが、その痛痒い刺激が私たちの知性を覚醒させ、一緒により善く生きることに向けてくれます。

誘惑する敵

自分の考えと違う人を遠ざけておきたい、できればそんな異論は聞きたくないというのは、人間誰もが持つ弱さです。しかし、対話を行うには、そんなぬるま湯への誘惑を退ける必要があります。言葉による誘惑は、何かをしてほしい、選んでほしいという決定への積極的な誘いよりもむしろ、それ以外のものから目を背けさせて自然に他を選ぶことができない状態に陥らせる方が多いからです。相手の視野をできるだけ狭くして、できれば自分が推奨する対象だけに目を向けてもらうこと、それ以外には何もないと信じさせることが究極の誘惑です。そんな時、形式的な対話は誘導尋問に他なりません。

都合の悪い対抗馬を排除するためにレッテルを貼るのも常套手段です。「嘘つきだ、詐欺だ」といった直接的な攻撃から、「テロリスト、全体主義者、非国民」といった特定の表現も使われます。言葉で人々の心理をコントロールするこの効果的な手段に、私たちは細心の警戒が必要です。

対話を行うために必要な自由な言論と想像力、とりわけ自分と異なる立場に立って考える姿勢は、戦って勝ち取らなければなりません。そのためには危険な相手が誰かを見極めるべきです。敵は、結論を強要したり対話を抑圧したりする力よりもむしろ、批判を避けて安逸に心地よく生きたいという心にいます。言論による最大の誘惑は、甘く丸め込んで思考停止に陥らせることです。しかも、本当の危険は、外から仕掛けられてくる甘い声ではなく、それを喜んで受け入れてしまう心、それだけに耳を傾けて他を無視する態度にあります。つまり、厳しさから目を背けさせ、対話から遠ざける甘い誘惑者は、私たちの内に棲(す)まっているのです。

対話の言論はその誘惑を退けてまどろみから目覚めさせる力を持っているはずです。次回は、どのように対話に挑むかを改めて考えてみます。

第10回

対話する勇気

対話と勇気

ここまで対話の危険性とそれへの対処という課題に向き合ってきましたが、ここでそのまとめとして、対話する勇気について考えたいと思います。「勇気」というと、対話、つまり言葉を話したり相手の言うことを聞いたりすることとはおよそ縁がないように感じられるかもしれません。ですが、「危険」という言葉に対応して、当然それに立ち向かう態度、それを乗り越える覚悟や努力が必要になります。それが対話する勇気という問題です。

まず「勇気」とは何かを考えておきましょう。三国志の関羽だとかジャンヌ・ダルクだとか、勇敢な人の名前を挙げるのも一つのやり方でしょう。歴史上の人物、小説やアニメのヒーローなど候補が思い浮かびますね。強大な敵に向かって敢然と立ち向かう、あるいは弾圧を恐れずに立ち上がるといったイメージでしょうか。ですが、具体的な例を挙げるだけでは十分ではありません。生身の人間はけっして勇気では割り切れない複雑な生き方をしています。また、同じ勇気といっても、戦場で発揮する死を賭けた挑戦と、仲間のいじめに抗議する行動では質も内容も違います。では「勇気」とは何でしょうか。

勇気だと認めるためには、四つの条件があります。第一に、直面し対抗する相手、つまり敵がいます。第二に、やみくもにではなく、何かに向けて勇気を発揮する目的が必要です。第三に、危険に向き合う際の恐れという感情があり、第四に、それらを正確に捉える認識が必要です。これらの条件が揃うことで、本当に「勇気ある人」というあり方が成立するのでしょう。理屈っぽいと感じられるかもしれませんが、こういった点を認識しないと、議論が精神論に流れてしまいます。「対話を行うために勇気を持て」と何度叫んだところで、何の意味もないからです。

今回は勇気をめぐるこの四つの契機を、私たち自身、言論の自由、挑戦への恐れ、そして自分の状況を認識することという観点から考察しましょう。

勇気を向ける相手

最初に、対話の勇気が向き合う敵とは何でしょう。対話が陥ってはいけない危険についてはこれまで十分に確認してきました。「対話とは何か」をきちんと理解しないまま、失敗から言論への不信に陥ってしまうこと、とりわけ、対話が持つ攻撃性や誘惑性といった危険を十分に認識しないでいる状態です。うっかりすると、足をすくわれて挫折してしまいます。

ですが、これではまだ「敵」としては漠然としているかもしれません。勇気を持ってあたるべき敵はどこにいるのか。この点では、戦場での勇気とは大きく異なるようです。

対話ではだれか外部の敵が反論を抑圧したり、私たちが共に問題について考えることを邪魔することもあります。権力や集団意志が有形無形の圧力をかけてきて、自由に対話できないようにする場合もあります。それらをはねのけることは大切です。ですが、対話の場合はそういった外部の敵とは別に、まさに勇気を持つ必要があるのです。

勇気を持って立ち向かう敵は、私たち自身の内にいるようです。対話に向き合わせない抑圧や欺き、対話を避けて楽をしたいという誘惑、あるいは対話など大したことではないという思い込み、それらは「対話とは何か」についての無理解、無知の状態です。知らないのに知っていると思い込んでいる、そんな無知なのです。

対話が目指す自由

次に、対話の勇気は何のために必要かというと、伝統的に「言論の自由（パレーシアー）」と呼ばれた事柄に関わっています。ここでいう「自由」という理念もまたとても難しいものですが、重要なのは、対話は強制されるものではなく、自分で選んで行う点です。自分で選ぶことは自分で判断すること、自立と自律です。言論の自由とは、好きなことを勝手にしゃべる権利ではなく、また、たんに政治的な圧力に屈せずに発言する権利でもありません。

政治的な意味での言論の自由はここではむしろ前提になっています。それが失われた場面では、どんな対話も困難に直面します。何かを発言することがその人に社会的不利益をもたらす場合、たとえば政敵に訴えられたり、発言ゆえに職を失ったり、その内容を攻撃されたたりすることもあるでしょう。最悪の場合、生命を失いかねない発言もありえます。ですが、そういった外的な阻害がないからといって、それだけでは本当の自由にはなりません。言葉を語る自由とは、いつでも好きな時に語ることができるという可能性とはまったく異なります。私たちが言葉を語り生きる主体であること、そのあり方が言論の自由なのです。

また、対話に参加する自由は、私一人に属するものでもありません。対話は複数、基本的に二人で成り立つ以上は、その二人が共に自由に対等に参加する必要があるからです。それは権利ではなく、自由という私のあり方、あなたのあり方です。つまり対話の自由は対話に参加することで成立する、私たち人間の自由なあり方なのです。相手と一緒に自由に賭けること、それが対話に参加することだからです。

自由が向かう先には真理があります。むしろ真理という地平において言葉も自由も成り立ちます。自由に言葉を語ることは途方もなく困難で、チャレンジングなことです。それは私たちが思考停止を避け、それから脱出を意味する困難な試みだからです。私たちは立ち止まったり、すでにあるものにすがって、そのうえで安心したい。ですが、それらを壊しながら何もない前に向けて言葉を投げかけていくのが対話だとすると、それは恐怖さえ伴うような勇敢な行為となるのです。

対話に向き合う恐れ

第三に、勇気は恐れという感情とともに登場します。恐れを完全に消してしまうことは無謀な蛮勇と変わらないことになり、かえって危険が増します。正しく恐れることが必要です。恐れというのは人間が持つ感情ですから、相手や状況を認識することで必然的に生じてしまうものと言えるでしょう。対話を始めるということでは、その都度新たな相手や新たな事柄に向き合い、そこで初めて耳にする意見や、自分とは異なる考えに接することはストレスも与えます。その意味で、あえて対話に取り組むことは緊張感と恐れに満ちています。一歩を踏み出すには、恐れを乗り越える自覚と大きなエネルギーが必要なのです。

恐れはしかしけっしてネガティヴなだけのものではありません。恐れをそのまま放置するのではなく、それに向き合い分析することで、正しく立ち向かう力に変わるからです。絶対に無理な状況や準備が十分に整っていない時にあえて突撃しても、それは無駄です。自分が何を求めているのか、何が達成できるのかは、恐れの度合いとの冷静な付き合い方で判明するものでしょう。この意味で感情としての恐れと認識という知性とは一致して働くものです。

見ることへの恐れ、前に進むことへの恐れと、「恐れ」には実にさまざまな相があります。ですが、おそらくその根底には、自分自身が変わってしまうことへの恐れがあるのではないでしょうか。今の自分を守りたい、これまで積み上げてきたものを保持したいというのは、社会的人間にとって自然な感情です。しかし、対話はその基盤を揺るがし、場合によっては覆してしまいかねない哲学的行為です。それを恐れて自分に閉じこもること、対話を拒否すること、あるいは受け流すことがより容易に見えます。それゆえに、対話には勇気が必要となり、それを持つ人が賞賛されるのです。

正しい認識

第四に、対話への勇気を持つには状況の認識が必要です。恐ろしいと分かっていながらそれに立ち向かうというのは、一見すると矛盾する事態に見えます。そこで必要な正しい認識とは、何よりも自分自身のあり方を見ることです。ですが、「自分を知る」ということほど、言うは易く実現は難しいものはないのではないでしょうか。自己認識が必要だと言いながら、その実自分のことはよく見えていないことは多いです。また、他人にそう見せている自分、いやそう見せたいと思って振る舞っている自分も、内心そうでないと感じている自分自身とはだいぶん違うようです。

私たちはけっして世界のあり方を理解してはいないし、人生の価値や幸福について知っているわけでもありません。まして自分とは何者かは、本当に知ることから一番程遠いことかもしれません（このテーマについては、第十四回で改めて考察します）。そんな中で、自分のあり方を認識することが対話するのに必要だと言われても、そもそも無理な話だと思われるかもしれません。ここに一つの逆転があります。

対話にあたっての正しい認識はどのように得られるのでしょうか。議論をつうじて他人とぶつかることで、鏡のように映る自分に出会うことがあります。また、他人と真剣に向き合う時に思いがけずに出てしまう自分に気づくこともあります。その気づきをもたらすものが、対話です。

対話を行うために勇気を持てと言ってきましたが、その勇気を持つためには対話が必要だという、メビウスの輪のような議論になってしまいました。

対話への責任

対話への勇気は覚悟だけの問題ではなく、日頃から自由に考えるという訓練が必要です。いきなり本格的な対話に挑んでも、成功することは期待できません。むしろ、日頃から対話に向き合うという訓練が必要となります。対話を自ら進んで行うには、対話とは何かを知ること、そのために対話という営みに飛び込むこと、そこで失敗と反省を繰り返しながら勇気を養うことが必要となるのです。

対話を行うことには責任が伴います。私が自由な存在になること、自由であることを引き受けるその責任です。私たちは何かに向けて言葉を発しています。その相手は、あなたという、目の前で面と向き合っている一人の人間ですが、さらに二人の言葉が向かう先に真理という地平が広がります。一緒にそれに関わることが対話です。共に何かを目指して言葉を語っている、その実感を保証してくれる地平が真理と呼ばれるものなのです。

　真理に向かうからといって、そこで実際の対話相手は消えません。他者はむしろ初めて自分と同じ自由な魂として現れてきます。そこでは言葉を語るばかりが必要なのではなく、沈黙、迷い、言い澱(よど)みなど、言葉にならない場面が言葉を発していきます。語り得ないことに挑むことが自由な言論、それを行う勇気だからです。

　自由において真理に向けて言葉を交わすことは、おそらくとても快い営みです。対話することは楽しい。それは一緒にいる安らぎや相手の話の面白さや、思いがけない発見や、そういったすべてのものを超えて、自由に言葉を語る自分と他者がそこに現存することの喜びです。それが対話へのパッションなのです。そのパッションは勇気となって私たちを押してくれるでしょう。そういった対話には、勇気を持って一緒に真理へと向かう仲間が必要です。対話への参加が、私たちに自由な魂同士の出会いをもたらしてくれるのです。

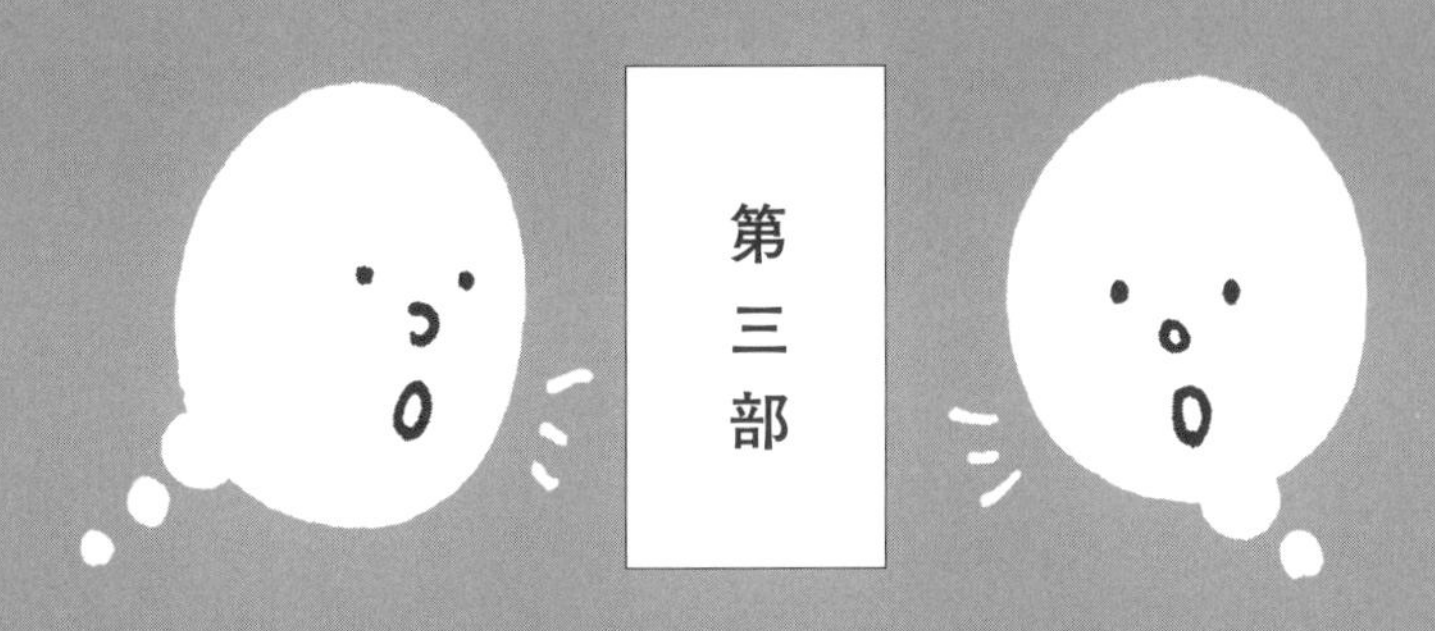

第三部

対話が広がる世界

第11回

対話の場の越境

対面を超えた対話

対話を行うのは、私とあなた、人と人とが向き合って、対面して言葉を交わす場面です。この点を前提にしてこれまで対話を考察してきました。言葉はけっして記号で伝達される情報ではなく、それぞれの状況で発せられ、受け止められ応答するものです。対話は言葉だけではなく、言葉がそこで交わされる雰囲気や時間、いや、間(ま)、さらに沈黙も包み込みながら成り立っているからです。同じ言葉でも、表情の動き一つで、あるいはかすかな抑揚やトーンの違いでまったく異なる意味を帯びます。それは、面と向き合う全面的な関係がもたらす了解です。ここではそんな対話の「場」について考えてみましょう。

私たちはいつもそうやって対面で対話を行えるわけではありません。人類をしばしば襲ってきた感染症が、はしなくもまた世界で蔓延（まんえん）していますが、ウイルスに感染する防御の対策で、できるだけ直接の人的接触を避けるようにと促される状況が生じました。これまでまったく当たり前に行ってきた会話、面と向かって顔や表情を見ながら話しかけることや、同じ空間で話をすることすら難しくなっています。親しい者の間では肩に手をかけたり、頭を寄せ合って口角泡を飛ばすこともありましたが、そういった密接な状況は厳しく制限されてしまいます。マスクを着けての会話では、相手の表情が読めません。

この状況下で、私たちは対話の場について改めて考えさせられます。以前にはあまりに当たり前で意識さえしなかったこと、つまり、言葉を交わすには口から息を吐きながら音声を出し、その同じ空気を一緒に吸っていることに気づいたのです。空気中の飛沫で感染する恐れのある種類のウイルスは、同じ空間に長時間滞在する者を危険にさらすこともあり、密接な距離で会話することも感染の危険を引き起こす原因と言われています。それは、人と人が向き合って交わす対話の制限や禁止、その意味での対話の否定に他なりません。

そうして気づくのは、対話を交わすには私たちの身体が条件となっていたこと、つまり、生身の身体とそれが占める空間がそこに必要だったということです。しかし、新型コロナウイルスの脅威は、私たちの身体に必ずしもいつもそんな条件が許されているわけではないことを示しました。それでも対話は成り立つのか。それがここで考えたい問題です。

第一部では対話の基礎を、第二部でその危険性を検討してきましたが、この第三部では応用編として、通常では対話と見なされない場面を取り上げて、対話のあり方をより広い角度から考えていきます。同じ空間で直接に交わす対面ではない対話を、まずは考えてみましょう。

オンラインでの変化

感染症への対応で、社会や教育現場で本格的に導入されているのが、通信機器を介して会議や授業を行う「オンライン」でのコミュニケーションです。コンピュータやタブレットなどの画面上で複数の人が参加し、音声と相手の画像を共有して話をする形式です。以前から一部では試みられていましたが、社会的に大々的な展開を見せたのは、今回の感染症という状況によるものです。私たちはそれらの機器をつうじて、ヴァーチャルに人と向き合って対話を交わしている、あるいは交わしている気になっています。

仕事は職場に出勤して直接やりとりをしないと十分な意思疎通ができない、議論は同じ空間でこそ上手くいくのだと、以前には素朴に信じられていました。他方で職場と家庭のように、仕事と生活は場所の違いで区別され、それぞれの時間割と人間関係は独立していました。その区別を当然と思っていた状況は、感染症による新たな生活様式で劇的に変わりました。在宅でもできる仕事が増え、対話のあり方にも変容が起こっているかもしれません。

教育現場も同様です。就学前児童も含めて、小学校から高校まで、教育とは学校という同じ現場で教師と生徒が一緒に生活し、その中で学科だけでなく生活習慣や人間関係やものの考え方、生き方の技法までを身につけていくものと考えられています。ところが、多数の人が集まったり、接触することを制限する特別な状況下で、教育は適応を迫られています。日本では比較的遅れていた遠隔学習も導入されつつあり、その有効性が確認されています。

このような議論や対話でのオンラインの普及は、従来のやり方に対してメリットとデメリットの両面を持ちます。まず思いがけない利点を見てみましょう。

仕事や教育が通信機器によってより広い範囲で行われるようになった点は、なによりも重要です。感染症への対策で自宅待機という状況になっても、出勤や出張や面会といった空間的移動を伴わずに、離れた人々とリアルタイムで会話や議論ができる状況は、以前に想像していた以上に有効であることも経験されました。世界中の研究者が同時に参加するオンライン研究会も開かれています。思いがけず人間活動やコミュニケーションの仕方や範囲が拡大され改良されたことは、私たちの経験を変えています。

また、教育現場では、学校での共同生活や友人関係に馴染めない不登校の生徒が違和感なく授業に参加し、学習の遅れを取り戻せているという思いがけないメリットも報告されています。授業での態度でも、教室ではおとなしい生徒がオンラインのチャットでは積極的に質問するという例もあります。私たちが当たり前に行える、行うべきだと前提してきた対話のやり方に、さまざまな理由で参加できなかった人たちがこの機会に対話に参加できるようになったという利点もあるのです。

ここから見えてきたのは、場を共有することがだれにとっても望ましく良いというわけではなく、雰囲気に馴染めず人間関係を作れない人にとって、特定の場は息苦しく避けられるものだったという事実です。そんな理由で対話の輪から締め出されていた人たちにとって、オンラインのように場の設定が変わることは良いチャンスです。新しい場では、こだわりなく新たな関係に入ることが可能だからです。同じ空間では振る舞いがぎこちなくなる人でも、オンライン上では違和感なく他の仲間に混じって対話を交わすことができるようです。

対話の場と相手

オンラインでの会議や授業は、たしかにこれまでなかった場や可能性を開いてくれています。しかし、それを言葉のやりとりとしてどう捉えるか、限界を持つことの自覚も必要でしょう。対話を交わす人と人との出会いの場面は、顔の画像と音声だけで成り立つのでしょうか。問題は、顔と声という二つの要素が取り出され、視覚と聴覚が他から切り離されて対話を成り立たせることができるのかという点にあります。

私たちのコミュニケーションが情報のやりとりに尽きるとしたら、本当は顔の画像すら必要ありません。人の声よりもさらに効率的な音声や記号情報もあるでしょう。ですが、状況はまったく逆です。オンラインでも、顔が見えない環境でのやりとりは不安ですし、一人でしゃべっているような不自然さは異様に感じられます。また、画面で相手の顔が見えても、私を見ていないという違和感が残ります。これは、私たちの対面して交わす場面が基本であるために慣習的にそう感じるだけなのか、より本質的な要因なのかという問いになります。

この点は対話を行う場の意義に関わります。誰が聞いていて、誰が誰に向かって語っているかが見えていない状況では、対話は成立しません。相手がいないと、録画した画像を見たり、本や文字情報を読むのと同じことになってしまいます。今、私が語っていることがだれかに向けられ、それが伝わっているかどうかが、対話の成立には欠かせません。逆に、今この場で言葉が向こうからこちらに届けられ、それを発する人がそこにいることが決定的に重要です。そうだとすると、オンラインで話し手の画像が見えることは、安心感を与えるだけでなく、対話の成立要件をかろうじて満たすことになります。

ですが、顔と声だけではなにか重要なものが欠けていて、対話がまだ局所的なものにとどまるように感じられます。それは、肌の温もりから人柄、気配や息遣いといった身体の全体からの反応が言葉の調子と相まってその人の語りを伝えるからでしょう。人と話す時には、何よりも距離が大切です。また、視線を相手に向け、受け止める相互性も欠かせません。向き合うには身体と身体、顔と顔の隔たり、方向や姿勢が重要です。遠からず近すぎず、声を受け止める空間が距離です。オンラインでのやりとりにはその点が欠けています。視覚像はあくまで二次元であり、音声はボリューム調節やミュート機能で人工的に変えられます。そこで欠けているのは、生身の語りを作るさまざまな要素、視線の交わりや二人が向き合う場なのです。

オンラインでのやりとりでは語り手だけが音声を発し、聞いている人が受け取るという一方的なものが多くなります。音声を消しておくこともできます。無論、必要な場面で手をあげたり、声をかけたり、チャット機能でコメントもできますが、つねに相手の音声や振る舞いに接して相互的に行う対話という場面は大きく損なわれています。

では、オンラインのやりとりで、私たちがこれまで論じてきた対話ができるのでしょうか。私は、ある程度は可能であり、ある意味では無理だと考えます。対話というものがあくまで同じ場で面と向き合って行う言葉のやりとりである以上、遠隔のやりとりを機器で代替することは不可能です。しかし、対話という理念を少し広く捉えるとしたら、それは別種の対話的やりとりとして私たちにとって補完的な役割を果たし、より豊かな対話の手段となるのではないでしょうか。

SNSでの対話

状況が強いたものではありますが、通信機器でのコミュニケーションがすんなり受け入れられたのは、私たちがすでにEメールやSNSを日常的に使っていて、情報や意見の伝達を通信手段によって行うことに十分に慣れていたから、そこで違和感を感じなくなっていたからではないかと考えています。今まで対面の会話や議論と、通信機器を介しての伝達を大きく隔てていた感覚がオンラインでの対話で一気に消されて、コミュニケーションが拡張した、あるいは融合したと考えると、この変化が割合と自然に生じたことが理解できます。

では、そういったSNSでのやりとりは対話とどう関係するのでしょうか。実際、顔は見られませんが、ほぼリアルタイムで短いメッセージを交換したり共有したりして、文字列だけからは対話を交わしているようにも見えます。

SNSにもさまざまな種類や機能があり、使い方や場面も異なるでしょう、画像で情報を送ったり絵や記号などで印象的なメッセージを送る場合もありますし、一対一や少数の間でのやりとりも、非常に多くの人たちに一斉にメッセージを発信することもあります。それらは、すでに論じた言葉の発し方の応用例にあたります。とりわけ、宣伝やメッセージの拡散は対話とは異質ですのでここでは取り上げません。今は、匿名性を伴うやりとりを簡単に考察してみましょう。

匿名の者同士が勝手に意見を並べるネット上の掲示板でも、記号化された投稿者名で特定の相手と議論ができます。また、名前の出ている人に対して、自分は名前を出さずに意見や感想を送るという機能も多くの場面で使われています。そういった場面では、匿名性ゆえに過激になる誹謗（ひぼう）中傷や、屈折した心理による虚偽の言説が流布して、倫理的、社会的な問題を引き起こしています。

ですが、私が興味を持っているのは、むしろ匿名の方が本音を語れるという文化があることです。名前を隠して話すと、一方で自分の身分や社会的背景に囚われることなく、遠慮なくより自由に思ったことを表現できるのかもしれません。あるいは、いつもの自分とは違う設定で語るという変化や、遊び心があるのかもしれません。それらの良し悪しは別にして、対話が通常は常識的な枠組みに囚われて遂行されていること、つまりそれぞれの語り手が教師とか部長とかママ友とかいった役割や肩書きに縛られていて、その立場からの発言が期待され、その期待に沿って発言しがちであったことが全体として反省されます。私たちが通常従事する対話の場には暗黙の制約があり、ＳＮＳなどではそれを取り払った言葉のやりとりが、対面ではないにしてもできる場を提供しているようです。

そこで大切なのは、仮に肩書きや立場から自由になったといっても、なんでも言ってよいというわけではなく、対話相手を一人の人間として尊重し、たとえ顔は見えなくてもその人が生きている場面を想像しながら言葉を交わすことでしょう。この点ではＳＮＳを使う経験をつうじて失敗から社会がより成熟することで、マナーが改善されていくことを期待しています。

多様な可能性を求めて

私たちは実に多様な仕方で他人と関わっています。その多様性は、言葉を交わす場の違いと言えるでしょう。何気ない日常の言葉のやりとり、たとえば、食堂でのおしゃべりや、会議前の雑談や、通りすがりの立ち話など、単独では真正の対話とは言えませんが、言葉をやりとりする広い状況を構成するものです。改まって向き合って行う対話には、そういった広い背景が深く関わっています。重要な交渉ごとには、その前や後でのくだけた付き合いが役に立つことを私たちは知っています。対話には相手をよく知り、信頼することが必要だからです。切り離された場面だけで対話は成り立たないでしょう。

それらの対極にあるのが、直接に身体的な関わりをもたず、空間を共有せずに言葉や情報をやりとりするオンラインなどでのやりとりです。それは必要な言葉のやりとりに特化した場ですが、それを含めたより広い対話が求められるならば、多様性は対話の範囲や質を高めるうえで歓迎すべきものではないかと思います。

あらゆる言葉のやりとりをつうじて、本当の対話は可能になるのかもしれません。面と向き合って重要な話題について語り合うというのは、実は恵まれた特別な状況であり、いつもどこででも実現できるものではありません。条件を満たせない場合でも、補足的な手段を用いて可能な場面で追求されるのが対話ではないでしょうか。そうだとすると、同じ時間に空間を共有しながら交わす言葉以外にも対話を成り立たせる可能性はあるはずです。

他方で、オンラインでの話し合いの後で強く感じる限界や物足りなさは、ふと「直接会って話したいですね」と言ってしまう時に気づきます。そんな感覚がどこからくるのか、たんに馴染みの語り方への郷愁なのか、もっと本質的な意味があるのかは、私たちが経験を重ねて考えていくべき課題です。対話は、思いがけないやり方や場で、私たちに新たな可能性を見せてくれるはずです。

第12回

対話の相手の拡大

対話への参加困難

対話は特定の仕方での言葉のやりとりであり、それを適切に実践するには言葉をあやつるある程度高度な能力と、文化基盤の共有が必要です。そういった条件を満たせない場合には対話が成立せず、それによって人々を対話の場から排除することになってしまうかもしれません。今回はその問題を考えます。

対話のやり方と意義について話した折に、ある出席者から次のような意見をいただきました。

「先生が話している『対話』には高度な知的能力が必要ですが、だれもがそれを備えているわけではありません。私の子供には知的障害があって、残念ながら理性的に話してそれに応じることが難しいです、対話は結局、健全な大人の間で交わされる理性的な営みが前提となっていて、それに欠けた者は無視され、相手にされないのではないでしょうか。対話はごく一部の人たちの間だけのものではないでしょうか」

私はその場ではきちんと答えられませんでしたが、この問題をしっかりと受け止めて考えることはとても大切だと感じました。たしかに「対話」は理性を持つ者の間で交わされるもので、もし人間が理性的存在だという前提があるのなら、さまざまな原因から理性を発揮できない人たちは「人間」という枠組みから外されてしまうからです。それは必要なのか、良いことなのかが、私には引っかかりました。「対話」を重視してきた西洋の哲学は、健常者（その典型は欧米人の成人男性）だけを対象としているようにも見えたからです。

対話が対等な人間同士で成り立つという限定では、文化的な偏見によって、それに含まれない者、たとえばかつては奴隷や外国人や、特定の出身や身分の人々、さらに男性にとっての女性がその資格を持たない者として排除されるといったことも起こっていました。今日ではそれらは差別としてけっして認めてはならないものとなっていますが、そのような意識が絶滅したとは、残念ながら言えません。

「人間」からの社会的な排除は自然本来のものではありませんが、生まれの境遇などからマイナスのレッテルを貼られた人は、教育や経験をつうじて対話に参加してふさわしい人間に成長する機会を奪われてしまい、その結果「この人は理性的に対話できない、人間扱いできない」という評価を受けてしまいます。社会的な偏見が生み出す差別の悪循環です。対話に参加する資質と資格は、本人の努力だけでなく社会的な環境が大きく影響を与えてしまいます。

しかし、ここでは人為的に生じる不平等ではなく、だれもが経験しうる限定について考えましょう。健常な大人という限定を超えて対話が成り立つかどうかを考えるためです。

では逆に、理性的な大人という条件から外れてしまうのはどんな人でしょうか。まず、知的能力がまだ十分に発達していない子供は、対話の相手にはならないと見なされがちです。もしそうだとしても、子供は教育をつうじて知性を涵養(かんよう)してやがて大人になります。ですが、なんらかの事情で大人になれない人もいます。発達障害や知的障害などにより、年齢が上がっても大人と同等の話し合いができない場合もあります。また、知的には十分な水準でも、通常期待される場面でそれを発揮できない人もいるでしょう。対話には基本的にその場で言葉を交わす機敏な反応が要求されており、なんらかの原因が邪魔する場合には対話参加が難しいことになります。

ですが、子供から大人になる成長において発する障害だけでなく、逆に一旦大人になった後で知的能力が欠けてしまう場合もあります。高齢化社会で大きな問題となっている認知症です。年齢や身体状況によって次第に判断能力や記憶が減退していくことは、自然の摂理です。老年の迎え方は人によって本当にさまざまですが、それは本人の努力や生活態度だけでは済まない、多様な要因で生じます。

また、そのような自然的なあるいは病気による能力の欠如だけでなく、人生の途中で事故にあったり怪我をしたり病気になったりして、身体能力だけでなく知的能力にも影響が出ることがあります。聞いたり話したりする身体機能に支障があると円滑な対話はできませんし、認知や記憶や言語能力に障害があってもやはり対話は難しくなります。私たちはいつも必ずしも健全で十分に理性を働かせる状態にあるわけではなく、むしろそのような条件を満たしているのは幸せなことだと感じます。

大人でない相手との対話

理性的な人間として対等に対話に参加するためには一定の知的能力や身体状況が必要になるということは、その条件を満たさない人を対話から排除する理由になるのでしょうか。人生において大人として認められる一時期を除いて、その前にあたる子供も、その後にあたる老年も不完全な大人とされて排除されるとしたら、対話というものはひどく狭いものになってしまいます。私は対話の理念を少し広げることで、ゆるやかにそのような場合を含めるべきだと考えています。そして、そのような拡張は、健常者と言われている人たちの対話にとっても重要な意義をもっているはずです。

まず、子供の場合を考えてみましょう。近年哲学の一分野で「こどものための哲学」（P4Cと呼ばれています）という試みが盛んになっています。これまで哲学という高度な抽象理論には参加できないと思われ、排除されてきた子供たちに哲学を経験させることで、実は大人に劣らず斬新な発想や根本的な問いを発して考えることが分かっています。哲学をつうじて子供の学習能力を伸ばしながら、哲学そのもののあり方を変えていく試みがＰ４Ｃです。実際、子供の思いがけない問いかけが、大人の常識に囚われた私たちに新鮮な驚きを呼び起こし、自分もかつてそんなふうに世界を感じたことがあったと、かすかに思い出させてくれます。そんな子供を相手に、大人同士とは違った哲学の対話ができたら、とても素敵なことではないでしょうか。

また、言葉を交わすことが不自由な相手でも、発声や聞き取りの障害なのか、意識の障害なのかで違いがあるでしょうし、思考や性格を形成する以前からの障害か、成人になった後でそれらの機能が損なわれたのかでも対応は違うはずです。

認知症などで記憶が減退したり認知機能が働きにくくなった相手との会話は、健康だった頃の経験や関係をもとにそれらを補って進めることも可能でしょう。つまり、相手が必ずしも分かっていなくても、往時のように話しかけて部分的にでもそれを遂行することです。私は祖父母らと話をするのが好きでしたが、同じことを繰り返したり、おそらく間違った記憶で話していると気づくこともあり、また、とてもゆっくりなやりとりになることもあります。しかし、私が知らなかったことで学ぶことも多く、それ以上に、長年経験を積んできた一人の人間、その人生への敬意が対話へと誘います。そんな対話が醸し出す時間の流れは、その方の人生を私に示してくれます。

対話とは自分とは異なる相手と向き合うことであり、自分の見ていない視点から物を見たり考えたりする人と話し合うことで、新たな発見をすることです。自分と同じような考えを持った人、似た地位にいる人たちとだけ話し合っていては、知らず知らずに狭い枠組みに囚われてしまい、そこで自分の考えをただ肯定してしまうことになりかねません。その意味では、今の自分とはおおいに異なる人がどう物事を見ているか、感じているかをしっかりと受け止める対話が望ましいのです。

また、今対話している私たちが理性的な大人であるとしても、その私もかつて子供だったし、これから老年や認知機能が衰えることになります。あるいは、それ以外の事故によって十分な大人ではなくなる可能性があります。そんな自分の姿を想像すること、相手を思いやることも、対話をするための重要な要素となるはずです。そこでは相手を尊重する基本的な姿勢が必要です。人間は知的能力や社会的な役割だけではなく、その人なりの人生の経験こそ大切だからです。対話は異なる人生を送る他者との出会いと驚きになるはずです。対話から学ぶことは大きいです。

言葉のない対話

病気や身体的な障害によって言葉によるコミュニケーションが難しい状況も、さまざまな人や場合に起こります。身体的な制約を除けばほぼなんの違いもなく議論を行い、有意義な対話を行う相手もいます。神経系の病気では、知的な能力を維持しながら筋肉の萎縮によって身体の運動能力だけが次第に失われていく筋萎縮性側索硬化症（ＡＬＳ）のような場合もあり、残された身体動作によって外部との意思疎通が行われます。日本に限らず私たちの社会は同質の人間だけを集めて、異質の人に目を向けない傾向にあります。特殊な状況にある人たちはその人たち同士のつながりは保てるかもしれませんが、物理的・心理的な敷居はまだ多く残っています。この点では、前回取り上げたオンラインでのやりとりなどは、離れた場所や身体的な制限をある程度超えさせてくれるかもしれません。

ここでも、異なった経験をし、異なる条件の下で生きている人同士で見方や意見を交換することは、大きな意味を持つはずです。健常者を当たり前とする人には見えていない社会や人間のさまざまな面が、直接つきつけられたり背後に感じ取られたりするからです。そんな対話は標準的な見方や考えを揺るがす視点から、豊かな示唆をもたらしてくれることが多いようです。そのように私たちが通常の社会と思っている場に入っていない、そこでは見えなくなっている人々も私たちの仲間であることに変わりありません。

では、言葉をつうじた意思疎通はどこまでできるのでしょうか。看護師の経験を経て臨床哲学を研究している西村ユミさんは、『語りかける身体　看護ケアの現象学』（講談社学術文庫）でそういったいくく人かの例を、取り上げて現象学の視点から論じています。通常「植物状態患者」と呼ばれている患者は、自分が置かれている環境や周囲のことを認識できず、他者と関係することが不可能だと規定されてしまっています。言葉をかけても理解も反応もできず、自分の意思はないので伝えることもないと思われがちです。ですが、そういった患者をケアする現場の看護師には、それぞれの患者にはなんらかの固有の反応があり、それを感じ取ることができるという思いを持って接する人がいます。「意識障害」としか診断できない症例に対して、現代の医学では説明できないレヴェルで人間と人間の間のふれあいと意思のやりとりがあり、たとえ明瞭な言葉での論理的な議論ではなくても、感情や希望や思いを見せることがありえるのかもしれません。

そういった経験を、西村さんは「視線が絡む、手の感触がのこる、タイミングが合う」といった言葉で表現しています。言葉で明確に内容を伝えるのとは程遠い、そのようなかすかな交流が、私たちが日常で対話するあり方を逆に照らし出してくれます。看護師と絶望的な状況にある患者とのそんな交わりは、けっしてケアする側からの一方的な働きかけや思い込みではないはずです。私たちは実は言葉だけでなく、いや言葉よりも多く、そんな交流によって人と通じているのかもしれません。

対話を超えた対話

言葉を介さずにコミュニケーションを交わすことを「以心伝心」と言います。心と心で直接に伝えるという意味ですが、もしそういったことが可能であり、通常の対話とは異なる交わりだとしたら、言葉で対話する意味は減るのでしょうか。私はそうは思いません。言葉で伝えられること、伝えられないこと、言葉の背後にあること、その基盤にあって表面化しないこと、それらが合わさって全体として初めて対話という言葉の営みが成り立つからです。その一部が欠けてしまっても、対話はどうにか可能です。オンラインで空間を隔てて議論しても、言葉を返せない患者に話しかける場合でも、私たちは対話を試みています。いや、むしろ私たちが完璧な条件で対話を交わすことは、ほとんどないのかもしれません。

かつて私も大人から語りかけられた子供でしたし、やがて若者に耳を傾けてもらう老人になるでしょう。ベッドで看護師さんに手をさすってもらい、今日の具合を聞いてもらう患者になるかもしれません。そんな時、指先を動かしたり、ほほをかすかに動かすことで、今日は気分がよいですと応じられたら、きっととても嬉しいはずです。看護師さんがそれを受け止めて微笑んでくれたら、それは対話とまでは言えないにしても人間と人間の大切なやりとりなのではないかと想像します。対話はけっして高度で理性的な議論だけでなく、それを可能にするより広い人と人との魂の交流に違いありません。

第13回

不在者との対話

人間でない相手

人間として生きている限り、私たちの間に対話はあります。状況はさまざまで、身体や知的な能力に違いがあったとしても、異なる仕方で対話が可能です。異なる相手との対話からは、また違ったことを学んだり経験したりできるはずです。では、さらに対話の相手を広げることができるでしょうか。対話が生きている相手と言葉を交わすことだとすると、言葉を持たない生き物、あるいは生きていない物との対話は可能でしょうか。

まず、人間でない生き物を考えましょう。彼らは人間の言葉を話しません。しかし、私たちの語る言葉をなんらかの仕方で理解して反応すると信じて、飼い主はペットの動物に話しかけます。ペットたちは仕草や動作でそれに答えてくれると思っています。鳥類や爬虫類や両生類、甲殻類や魚類など、人間から遠ざかり、人間的な知性の果たす役割が少なくなるにつれて、擬似人間的なコミュニケーションは困難になり、対話的な見かけは薄れていきます。それでも飼い主は生きている仲間に話しかけ、相手の反応に癒されたり、励まされたりするのです。

私はこういった語りかけが人間の勝手な思い込みに過ぎないとか、一方的な幻想だと断定するつもりはありません。程度が違っても、種族を超えても生き物の間では交感が可能であり、とりわけ犬や猫や馬といった人間社会に馴染んだ動物にはそういった習慣が身についていると思われるからです。動物にも愛情や不満や敵意などの感情があり、体勢や仕草で伝えられます。それでも言葉をつうじた相互的なやりとりは不可能で、人間同士の対話とはまったく異なることは認めざるを得ません。人間が使う音声言語は、動物には指示を与える記号として認識されても、それを理解して向こうから発することはないからです。また、植物が話しかけられて感応しているかは、判断が難しいところです。

チンパンジーやイルカのように、動物には高度の知的能力を備えたものもいて、彼ら同士では独自の音声によるコミュニケーションが行われています。そこには、私たち人間とは異なる繊細なやりとりがあるのかもしれません。

では、生き物でないものはどうでしょう。私たち人間は、石や山にも語りかけます。動物とは違って相手からの反応はなく、擬人化だと言われています。人が作ったものでも同様です。人形やぬいぐるみはとりわけ話しかける対象となります。ヴァーチャルな対象では、アニメやゲームのキャラクターや、小説や映画の登場人物を相手に会話をする想像もしますが、それはやはり擬似体験であり、相手がいるわけではありません。

逆に、相手からの応答という点で言えば、近年進歩してきたロボットやコンピュータや家電は、私たちの言葉に反応して言葉でメッセージを返したり、向こうから話しかけたりもします。それは、生きている友人が会話してくれているような感覚を与えてくれます。無論、それはコンピュータのプログラムで、人間の音声応答のパターンを入力して擬似的に行っている機能であり、さらに使い手に合わせた反応をしたり、学習機能を組み込んだものもあるようです。それらの機械は名前を与えられ個性を持つ相手として認識され、私たちの生活の一部となっていきます。さらに、ＡＩ（人工知能）とのやりとりをどう捉えるべきか、人類が技術発展に応じて今後認識を変えていくことになると思います。いずれＡＩを搭載したロボットが人間関係に深く関わっていくことも生じるでしょう。

しかし、対話は基本的に対等な者同士、能力や資質に違いはあっても互角に対峙できる二者の間でなされる相互的なものです。その意味で、一方が人間で他方が人間以外という場合は、対等性や相互性の欠如という観点から、定義上は「対話」とは認められません。しかし、そこからあえて視野を広げてみることで浮かび上がる問題もあります。生命とは何か、知性とは何か、言葉とは何か、人間とは何か。こんな問いが改めて私たちに投げかけられるのです。

人間の精神や知性が特別だと言えるでしょうか。もしかしたら、私たちの知的な営みも、かなりの部分は機械的な条件反射に過ぎず、人間に特別なスピリチュアルな要素は見つからないかもしれません。それでも、こんなことを考えること自体、かなり奇妙な機械的反応だとは思いますが。あるいは、異星人に遭遇したらさらに問われるべき問題かもしれません。

人間が機械と言葉を交わすこと、ヴァーチャルなアイドルに恋すること、あるいはペットの亀に話しかけることがシュールだと感じるとしたら、実は人間同士が言葉をやりとりして理解したつもりになっている姿もよほどシュールなのかもしれません。今は、対話の範囲を限定しすぎることなく、開かれた可能性から見ていきましょう。

過去の人との対話

対話を行うのに明らかに不可能だと思われる相手に、すでに亡くなった人がいます。今、目の前にいる人間と交わすのが対話だとすると、かつて生きていた人間であっても、現在言葉を聞いて応えてくれない死者は、対話の相手とは言えません。ですが、私たちはそういった不在の相手に向かってしばしば言葉を語りかけ、あたかも聞こえない応答があるかのように思いを抱きながら生きています。亡くなった家族や友人や恩師の顔を思い浮かべながら言葉を口にすることは、よくあることではないでしょうか。これも、たんなる妄想だとか擬似的な体験だと言って済まされるとは思えません。その理由には、対話にはそもそも不在の相手に向けて語りかけるという構造があるからです。

対話とは何かを考察した際に、対話は限られた時間と状況のなかで、けっして理解し合えない相手との間で言葉をやりとりする、不完全な営みであることを確認しました。とりわけ、リアルタイムで語り合う対話は、予期せぬ展開や感情の揺れや集中力の限界によって、けっしてその場で満足のいく交わりにはなりません。これは対話の宿命と言ってもよい条件です。語られ聞かれた言葉の弱さを補うものが、それを書いて読まれる言葉であることを、以前に検討しました（第四回）。その場ではけっして満たされない対話を時間の差を経て反芻することは、その対話の遂行において相手が不在であることを意味します。では、対話の相手が不在者、死者であるとはどういうことでしょうか。

ある時にある場で交わした一回きりの対話は、不完全であり未完成です。言い足りないこと、その場では理解できなかったこともたくさんあり、そうして対話の体験は記憶から消えていきます。ですが、その欠損を補おうとするとどうなるのでしょうか。対話した相手にもう一度お手合わせを願って、前回の対話で聞きそびれた点を尋ねたり、語られた言葉の意味を確かめたりすることも、あるいは言い足りなかった点で説得を試みることも、事情が許せば可能です。ですが、それは前に行われた対話を補うものではなく、かえってそれとは別のもう一つの新しい対話を遂行することになります。「以前に言ったことはこういう意味でした」と言われたとしても、それは現時点での解釈であり新たに得られた理解であって、最初のやりとりでは了解されていなかった事柄です。もしかしたら、対話した後で相手が考え直した内容かもしれません。こうして時間を経て対話相手と再び向き合ってさらに話をしたとしても、一つの対話の不完全さを埋めることはけっしてできないのです。

このように新たな対話を続けていっても全体としては未完のままで、人と人が生きている間は対話は完結しません。生きている相手との対話は、つねに変わってしまうがゆえに、刺激的で生産的なのです。逆説的に聞こえることを承知で言えば、対話が一つの形と意味を持ちうるのは、亡くなった人、不在の人を相手にした場合以外にはないということになります。

亡くなった人との対話には、二つの場合があります。生前に付き合いがあった相手との回想を伴った対話、そして、直接出会ったことがない人、たとえば遠い過去の人物との書物を介した対話です。

一緒にじっくり対話した相手との記憶をもって遂行され、書物にされた対話があります。プラトンは師のソクラテスが死刑になった後に、彼を主人公にした対話篇を著しました。そこには生前に自分が交わした言葉のやりとり、とりわけソクラテスからかけられた言葉や問いかけも含まれていることでしょう。不在のソクラテスを相手に対話することで、彼がどんな言葉を話すだろうかと想像力を用いて、対話を書き物にしたのでしょう。そこには、書いている時点で不在のソクラテスと、彼を作品で対話させる不在の著者プラトンとの不思議な対話があるのです。

さらに、プラトンの対話篇を読む私たちは、ソクラテスともプラトンとも会ったことはありません。しかし、彼らが交わした対話を書き言葉から読み取りながら、彼らが私たちに何を語りかけ、その問いにどう答えるかを思案しながら、不在の相手と対話をしています。私たちが彼らとの対話に入ることができるのは、彼ら同士の対話がそこにあるからです。

真の対話には身体や時間を超える次元が必要なのかもしれません。生きている人間と今行われる対話は、それらの不在において成立するという逆説を私たちは経験します。

超越者との対話

亡くなっていて今はいない相手に語りかける想像上の対話は、どちらも実は私である両者の内的な独り言だと思われるかもしれませんが、それは違います。実際に私たちはそう感じていないはずです。むしろそんな対話は私の内で思いもよらないもの、私を超えるものに関わらせてくれます。それは、私という生きた存在が、はるかに大きなものに支えられていることを感じさせてくれる場面です。それを「対話の根」と呼びましょう。

不在の人を相手に言葉を発する時、その相手は過去の特定の人物ですらなく、私が生きている今ここという世界の限界を超えたものへの呼びかけにも見えます。目に見えないものに投げかける言葉、それは一体何でしょうか。

なにか極限状況で絶望したり、不安にさいなまれたり、とびきりの幸福に浸る時に、私たちは自分をはるかに超える存在に向けて言葉を発します。それは「祈り」とも呼ばれる語りかけで、だれかに向けて発せらせる魂の言葉です。心の内で、誰とははっきりと分からずに、でも、そのはるか彼方に向けて言葉を送ります。

二〇二〇年という現在をはるかに超える過去や未来、さらに言うと、そんな時間を超えた永遠の地平のどこか、だれかに語りかけ、その声を聴いているように感じます。そんな経験は、古来、神や超越者と向き合う体験として語られてきました。シナイ山でモーセが神に出会ったり、ソクラテスがアポロン神託をつうじて神からの使命を受け取ったように、私たち人間は超越的なものとの出会い、その呼びかけによって生かされています。それは啓示とか預言と呼ばれる言葉なのでしょう。

それは、私やこの場を無にしてしまうような、はるかに遠いもの、超越的なものとの関わりとも言えますが、逆に、今この時に私を包み込んでいるすべてとの関わりでもあります。私たちは夜空を見ながら、果てしない暗闇の彼方までつづく宇宙の遠さに進み出ながら、この私自身も宇宙に含まれており、私が立つ大地もその小さな一部であることを実感します。そんな宇宙の言葉（ロゴス）を聴くことで、対話としか呼べない感応が生じます。私が私であること、ここに生きていることを語り問いながら、それを聞き答えてくれる全体に戻っていくような経験かもしれません。そこに対話の根が感じられます。

それでは、私とあなたが向き合って交わす対話は、そのような超越的な体験とは違う次元のものでしょうか。いや、おそらくそれは同じ対話というものの別の姿でしょう。今この同じ場で生きることは、その場の全体である宇宙において可能となり、私たちを超える根拠によって生かされていることの確認です。つまり、私がこうして言葉を語り、それを聞く相手からさらに言葉を受け取って対話して生きている現実こそ、私たち存在者が存在の根拠に関わる対話の根の現れなのです。

今回はやや話が遠くまで来てしまいました。しかし、このはるかな地点から、対話が関わるのが真理であること、そこで言論の自由が必要となることの意味をもう一度考えてみる必要がありそうです。

第14回

自分自身との対話

対話する私

対話をする相手をめぐって、通常想定される理性的な人間から範囲を広げて、そこから外れるケースを考察してきました。そうして当初考えてきた対話という形からずいぶん遠くまで来てしまいました。ここで手前を見つめ直しましょう。対話をする「私」とは何だったのでしょうか。

私たちは自分が対話をするのだから、相手が誰かだけを気にしていますが、そもそもそうして対話をする自分とは何者でしょう。おそらく皆さんは、それぞれ自分の名前や年齢や性別や職業や出身などを自分だと想定しているのではないでしょうか。あるいは、対話という場面で話題になる、多様な技能や知識や性格などを念頭においているかもしれません。

対話に従事するのは無色透明な主体ではありませんから、こちらの側も特定の立場や能力をもって臨むのは当然です。しかし、それを固定的な支点としてそこから対話を展開するだけだとしたら、その特定の私とその都度の相手との相関があるだけです。つまり、いろいろな相手と対話を交わしても自分がこの自分のまま変わらないとしたら、結局は出会った意見のヴァラエティが増えるだけで終わってしまうのです。

そこに欠けているのは三つの視点です。対話をつうじてこの私自身がどんどん変わっていくこと、対話をする私はけっしてすでに特定のあり方をする人物ではないこと、さらに、そんな自分が何者かはあらかじめ知っているものではないことです。

角度を変えて問題を整理すると、こうなります。対話に従事する「私」は、けっして性質や偏向をもたない「点」のような存在ではありません。むしろ、多すぎるくらいの特性と多層的な役割を背負いながら、そこから対話を開始します。他方で、そういった性質や特定の立場は、対話をつうじて次第に解放されて、自由な一人の人間になることが期待されます。

対話をつうじた変容

語る「私」が誰かによって、対話においてとる位置も異なります。具体例で考えてみましょう。私がある社会問題、たとえば地方の活性化を論じる対話に加わるとして、そこでは男性の市民で五〇代半ばで首都圏に住んでいる教育従事者といった設定で臨むでしょう。問題を論じるのに専門知を持っているか、ほとんど知識のない一般人かでも立場は異なります。地方出身か都会の出かでも違いますが、それは対話者の背景の多様性という範囲でしょう。対話に加わる人はさしあたりそうした経験をもとに意見を言うことになります。

では、そうして始まった対話は何をもたらすのでしょうか。対話する相手の意見が自分と違う立場で話しているというギャップから刺激を受けて、自分はどんな立場や見方をしていたのかを明確に示すことが求められます。あるいは、どうして自分はこの意見に賛成できないのか、その見方に違和感を感じるのかを反省しながら対話を進めることで、今まで気づかずにいた自分の位置が見えてくることもあります。

そういった経験はあまり心地よくない場合も多いのですが、たとえば、私の場合、さりげなく出た発言が、男性に典型的な見方であったり、特定職業の大人の視点であると気づかされることもあります。自分はそういうカテゴリーの人間なのだから当然だと言ってしまったら、対話は固定的な立場同士の対立になってしまいます。女性の視点や生活弱者の視点からの異なった見方や問題を知りますが、同時に、それに気づかずに自分の立場が当たり前だと思い込んでいた自身が恥ずかしくなります。対話には想像力が必要です。

そういった自然な発言をつうじて自分が何者だったかが、はしなくも明らかにされます。それは、それらの特性が当の私自身にもほとんど気づかれていなかったことを意味します。はじめに私という対話者の立場設定を挙げましたが、そこには明示的に含まれていなかった特性も大きく働いてくることも分かってきます。都会育ちだと言っても、実は数年間イギリスの地方都市に住んでいた経験があること、それが日本の状況を見るうえで影響を与えていることなど、普段はほとんど意識しない特性が対話の途中で浮かび上がることもあるのです。

こうして対話をつうじて異なる人の意見を聞いて納得したり反発したりするなかで、当然考え方や態度も変わっていきます。対話は自分の立場に固執して自身の主張を相手に押し付けるものではありません。むしろ、立場の違う相手とより広い視野から問題を考える試みだからです。自身の拠って立つ基盤や通常自慢するような特長は、ここではかえって足枷となって、自由な議論を妨げることにもなりかねません。反対に、普段は意識さえしなかった別の見方や理論に出会うことで、自分が変わることが実感されます。それは、知識や素養が増えたという程度ではなく、自分のあり方や存在そのものが根底から揺るがされて変容する体験です。対話の醍醐味はそこにあります。

私の不確実性と多層性

「私とはこれこれの者です」という自分での思いは、アイデンティティと呼ばれる自己認識で、それを持って私たちは社会で生きています。教師として、夫として、また出身地や経歴や資産や地位や資格など、それらは私が何者かを示すにはなくてはならないものに見えます。

しかし、少し落ち着いて考えてみると、そんな特徴づけは人生全体においてそれほど確固とした基盤ではなく、評価基準が変わればすぐに別様に見られたり、特徴ではなくなってしまうようなものです。研鑽を積んで就いた地位にしても、なにかのきっかけで失ったり、逆にそれを隠さなければならない状態に陥ることもあります。裕福な家庭の出身だと思っていたのに、別の地域や集団ではそれほどとは見なされなかったりします。私たちはだれしも自分が何者かが不安であり、それだけ一層基盤や力を誇示したいと欲求するので、すぐにアイデンティティにしがみつきます。しかし、それは結局はたいしたことのない一時的な飾りに過ぎません。たとえば、何百年つづく名家の出を誇っても、それ以前は出自不詳であったり、大会社の重役を自慢していたら、その会社がスキャンダルで社名も出せなくなったり、人生はいろいろです。そういった不安から地位や名誉に固執する者は、かえって自分の不確定性や脆弱さを示すだけになります。

私たち一人ひとりは複数の特性を同時に持っていますが、それらは相互に背馳することもあります。たとえば、電力会社に勤めているAさんは会社の方針で原子力発電推進派ですが、地元では近所に施設を作ってもらいたくない反対派住民の一家であり、家族には大学で原子力工学を学ぶ息子と、環境運動に関わる娘がいるといったことは、極端ですがありえます。その場合、原発をその町に作るべきかどうかという判断で、Aさんは立場によって内面が引き裂かれる経験をします。会社員としては推進すべきなのに、家族では反対の気持ちが強いという具合です。その場合に一人の人間としてどう決断しなければならないか、たとえば投票でどちらに入れるかが問題になり、「いろいろな立場があります」とか「ひとそれぞれです」では済まされません。

もう一例を考えましょう。自分の会社が商品偽装して購買者を欺いていることを知った人は、告発すべきか否か、自分の内面で葛藤が起こります。不正行為を暴いて適正化させるのは正しいことで、不正には義憤を感じていますが、それによって会社が倒産したり自分が職を失うという不利益も考慮されます。それでも、その人がとれる行動は一つだけで、両方を選ぶことはできません。

対話の場面ではどうでしょう。個々の議論ではあえて特定の立場に立って議論を進めたり、複数の見方を併記することもできます。ですが、対話の全体をつうじて、やはり「私はこう考えます」という言葉を語ることを迫られます。そこでの「私」は「社員としての私」

とか「父親としての私」とかではなく、いわば裸の私、一人の自分でなければなりません。本物の対話は、その自分を明らかにする働きをするのです。

普段私たちが「私」と考えているものは、実に複雑な、多層的で多面的な存在です。しかし、特定の役割に限定されるそれぞれの「私」は同じ問題をめぐって異なる立場になることがあり、内部で自己矛盾が生じます。その対立に向き合って、本当の自分とは何かを改めて考えてみると、今所属する会社の一員としての私だとか、この地域に住む私だとかいう「として存在」よりも、はるかに重要なあり方が見えてくるはずです。それは、一人の人間、ふつうの個人としての良識ある判断です。それを西洋では「市民」と呼んできました。これは某市の住人という意味ではなく、一人の自立した人間主体という意味です。裸の私、人間としての自分を見つけ出すことが、対話の目標であり、これから生きる基盤になります。

知らない自分を見つける

対話を行う私は自明な存在ではなく、対話をつうじて次第にそのあり方を明らかにされていくもの、つまり対話は知らなかった自己を見つけていく過程となることが分かりました。その過程は、さしあたり私はこういう者だと自分でも社会でも認知されていた特性や地位から出発しつつ、それらの前提や基盤を批判的に検討しながら自らひき剥がして、裸になっていくような、そんなプロセスでした。

自分にも分かっていない自分を見つけると言うと、とても不思議に聞こえるかもしれませんが、自分のことは自分が一番よく分かっているというのは思い込みです。相手に指摘されて初めて、自分がなぜそれまでそんな主張をしていたのか、それが自身にも見えてきます。対話は、そうして語り議論するそれぞれの人が何者かを、お互いに突きつけて示すような営みです。

今まで気づいていなかった自分の前提、場合によっては思い込みや偏見が明らかになること、そうして自分自身のあり方に気づくことは、その時点でそれまでの無知な自分とは違う段階に入ったことを意味します。自分がこうだったと明らかにされると、むっとしたり、恥ずかしく思うこともありますが、そういった感情の喚起が私が変わりつつあることの証左です。そこで頑なに思い込みにしがみついて、さらに自分の幻像に固執するのでなければ、対話はたしかに私たちのあり方を変えてくれます。その変容は、無知から気づきへ、限定から解放へという方向をとります。言論をつうじた吟味は、基本的には理に合わないことを批判してだれもがより納得する方向へと私たちを導いてくれるので、その先には対話を始める前には思いもよらなかった別の自分が現れるでしょう。それは、新しい自分、自由な存在の創出なのです。

ちなみに、それはよく言われる「自分さがし」とか「自分史を書く」といった物語の作り上げとは正反対です。そういった物語を作って貯めておけば安心やプライドは得られるでしょうが、思い込みを強化することでかえって自分の殻を硬くして自身を見失わせる弊害があります。対話は自分についての物語を語り合うことではありません。それらを剥ぎ取って自分を知ろうとすることです。

「教師」とか「夫」とか「読書好き」といった特性でアイデンティティを作っていたとして、それらを取り去ってなお残るなにかが「私自身」なのでしょう。

自分を超えるものとの関わり

対話は、自分とは異なる他者と向き合う契機です。ですが、そうして交わす言葉を引き受けてそれを自分のものとするのは、やはり私自身です。つまり、対話の責任は結局はこの私にあるのです。そこでは、相手の言葉を心の内で反芻（はんすう）してそれをめぐってさらに考える、自分自身との対話が促されます。あたかも二人の人が問答を交わすように、私の心の内で二つの声が言論を戦わせることで、思考が成立します。私がなにかものを考えるというのは、一つの頭脳が計算して算出した結果ではなく、心の中に二人の人が対話しているようなものです。その意味で、対話は思考に先立ちます。

心の中で二つの言論が戦っていると言っても、そのどちらも自分です。批判的に吟味して意見を変えるといっても、変える方も変えられる方も私であることに変わりありません。その意味で、心の内での対話とは自己から出発して自己自身に帰っていく歩みなのです。

対話が特定の背景と立場を持つ二人の間で行われながらも、その違いと対決をつうじてそれぞれの枠組みを超えて、初めに立っていた地点をはるかに超える場所へと二人を一緒に連れて行ってくれるように、心の内での対話も、言論の遂行によって自分という枠組みの外へと私を導き出してくれます。自分を超えることを「超越」と呼びますが、対話はすでに超越的であり、そこで超越する自己はより普遍的なものへと変容していきます。それは、自分の外にあるなにかとの関わりであり、殻を突き破り、外へと導く道が言葉（ロゴス）です。また、そういった営みを成立させる場が言葉なのです。

私という個人は、おそらくそこでは消えて、変容の果てに、なにかはるかに大きな場に溶け込んでいくように感じます。今回は対話する「私」に焦点をしぼって考察することで、対話の相手を拡張して考えていった前回と同じ地点にまで達したようです。いよいよ、対話とは何かのまとめに入ります。

第15回

対話の実践

対話を実践する

これまで「対話とは何か」について複数の角度から考察してきました。しかし、対話にはさまざまな種類や場面があり、それぞれが一回きりの個別的な経験です。つまり、「対話とは」と一般的に考察しても、それだけでは対話のことは分かりません。しかも、対話は参画する私たち自身が変容する機会です。私たち一人ひとりが実際の場で、特定の対話をやってみるしかありません。そこでは思いがけない経験や発見があるかもしれず、期待や予定通りにはいかない挫折を味わうかもしれません。ここでは、対話を実践から考えてみましょう。

これまで具体的な対話の場の話はしてきませんでした。学校や職場や地域などで、対話を行う場面は増えています。「哲学カフェ」や「哲学対話」や「こどものための哲学」といった市民や生徒の間での対話、まとめて「哲学プラクティス」とも呼ばれる実践が広がっています。哲学的な対話を行う手引きはすでに多数が出ていますのでそれらを参考にしていただき、ここでは本質的な点を見ましょう。準備、経験、沈黙という三点です。

まず、対話の準備について考えましょう。対話は日常の会話や普段の会議とは違います。改めて対話を行うという場合、どうしてもそれら日常生活や特定の目的と切り離す必要があります。あえて解放されて自由な場に身をおくことで、一人の人間同士が向き合って対話を始められるのです。対話する機会は日常に普通にあるとは言えません。あえてそういう場を設定しないと、新しい知り合いができることも、すでに知っている人、たとえば家族や友人と対話のモードに入ることもできないのです。

知り合いと喫茶店で、同僚と会議室で、家族と居間で面と向き合って対話をすることもできるはずで、ぜひそのような機会を作ってもらいたいですが、通常は自然な流れで対話に入ることは困難です。こちらが真面目に問題を論じたくても、はぐらかされてしまったり、上下関係や利害関係から離れられない場合もあります。そこで「今日はこれこれの主題について対話しましょう」と宣言して、了解からそのモードに入る必要があります。

対話を始めるにはそのような改まった気構えも必要です。それは、対話にふさわしい場、つまりじっくりと議論に集中できて、他のことに紛らわされない空間と一定の時間を確保することにつながります。哲学プラクティスが場所や参加ルールを決めて対話の形式を定めるのも、一見堅苦しいようにも不自然にも見えますが、実際にはより自由で主体的な対話の言葉を語るための環境づくりなのです。

次に考えたいのは対話の経験です。対話は自分が参加したり主催したりする経験によって磨かれます。一つの経験は、やがて次の対話につながり発展していきます。反対に、あまり対話したことがないと、いざ対話をしようとしてもどうしてよいか分からずに戸惑ったり、失敗してしまいます。訓練と慣れは必要です。日本の社会ではまだ対話の機会が少なく、多くの人は経験も乏しいままに対話のない生活、人生を送ってしまうこともあるようです。この状況は意識的に変えていくしかありません。

他方で、対話はその都度の一回きりの出会いですので、ベテランと素人といった違いをあまり意識する必要はありません。お互いに上下や優劣の違いがない対等な人間として向き合うべきです。もちろん、どのような質と経験を備えているかは対話にとって重要ですが、場馴れしてテクニックで上手く切り抜けるのは悪い意味でのベテランで、つねに新たな気持ちで対話に臨む経験者であることが理想でしょう。

哲学プラクティスでは対話を有効に進める経験者が「ファシリテーター」として司会の役割を果たすことがあります。初めて会う多数の人の間ではそのようなベテランが手助けや整理をすることも必要かもしれませんが、二人かごく少数で行う場面では、一人ひとりがそうした責任をもって対話に当たります。対話では、自分の考えを主張すると同時に、それが相手にどう受け止められているか、対話がきちんと成り立っているかを配慮する複数の役割を、当事者が自身で果たす必要があるのです。

第三に、対話における沈黙の意義を考えます。対話は言葉のやりとりですので、途中で言葉が止まってしまったり、やりとりがない時間が続いたりすると不安や焦りが生じます。話すのが得意ではなく、聞いていることが多い人もいます。

ですが、沈黙は思考にとってけっして悪いものではありません。じっくりと聞くことは対話でもっとも重要な要素です。また、本当に大切なことに向き合う時、私たちはしばしば語るのを止め、相手との関わりも遮断して、心のうちで集中する時間が要ります。二人で対話している最中に長い沈黙が生じてもバツが悪い思いをする必要はありません。それは対話を続けていくのにとても大切な時間であり、言葉が流暢（りゅうちょう）に出ることはかえって思考を妨げることもあるからです。その時には、一緒に沈黙して、目の前の相手が沈思しているその事柄に自分も心を集中させ、沈黙の時間を楽しみましょう。

言葉の不在は、言葉を深めてその真の意味を現してくれます。

愛としての対話

対話の実践は人と人との出会いであり、一度きりのかけがえのない経験です。それは、私たち人間が他者を求め愛することにつながります。プラトンが「エロース（愛）」と呼んだものは、二つの意味で対話を特徴づけます。第一に、私たちそれぞれは欠如した存在として一緒に探求する相手を求めています。第二に、その相手との出会いによって、私たちは新たな言葉を生み出します。いわば二人の子供です。その様子を見てみましょう。

私たちが対話をするのは、相手を求めているからです。なんでも一人で考えて決めてしまい一人で実行できれば、対話も相手も必要はありません。しかし、私たちの社会ではそれは不可能であり、望ましくもありません。私たちが人生の時間と労力を費やして対話を交わすのは、人間としてそれを必要としているからです。それは、相手から知識や好意を得られるとか、合意や契約が得られるからではありません。私たちそれぞれ一人では欠如した存在であり、その空隙を埋めたいと切望して相手を求めるのです。その相手も、やはり自分だけでは生きられない思いを持った人間です。その出会いが対話を始めます。

ですが、対話して一緒に真剣に考えてくれる相手が得られたとして、出会いだけで当初痛切に感じていた欠乏感が満たされることはありません。自分にはないものを相手から得られることはあるにしても、欠如した二人が合体して十全になるわけではないのです。もしかしたら二人になることで、自分たちの欠如がより明瞭により強烈に感じられるかもしれません。

それでも私たちは対話の相手を求めます。それは、一緒になにかに向かっていく相手、いわば共同探求者を求めているからです。なにかを一緒に追い求めるのは、そこでなにかを一緒に生み出すためです。私たち人間は対話において言葉を生み出したい、そういうパッションを持って生きていきます。以前に対話と感情の問題を考察しました（第八回）。愛や共感も感情に含まれるとすると、私たちは対話を成立させる根本的な感情を問題にしていることになります。

人間は有限な存在ですが、有限であるがゆえに永遠に憧れます。対話はごく短い時間、限られた状況での出来事に過ぎませんが、その出会いは子供を生み出します。それは語られた言葉で、有限性を超えて永遠性に関わるものです。言葉はひとりでに生まれることはありません。美しい相手と出会い、美しさを経験する中で精神が身ごもり、出産を促されます。対話する相手はそのきっかけを作り、一緒に言葉を生み出して育てていく伴侶です。この人の前だからこの言葉を語りたい、あるいは、言葉が口をついて出てくるというのは、自然な出産です。別の人との出会いでは同じ言葉は生まれず、この人との出会いと出産は一回きりのものです。そこで生み出された言葉は、二人の子供として育てていくべき大切な宝です。

対話は一回きりだと強調しましたが、共に生活をして理解を深める者同士の間では対話は別の段階に進みます。一回ごとの対話を重ね、長い間をかけて対話を深めることは、驚きや反発や誤解や啓発を経ながら、二人の間柄をかけがえのないものにしていきます。そして、二人の間、魂と魂の間で突然、火花が散って火が灯るように知が生じる、と言われます。真理との関わり、そして自分たちが何であったのかを知ること、それがもたらされると言うのです。それは、二人が共に生きる場で、つまり交わし生み出された言葉において二人の魂のあり方が輝き出る、生命を宿す、そんな経験なのです。

対話は言葉において成立する二つの魂の交わり、それを成り立たせる場の全体です。対話は過去や未来も含めた、時間を超えた総体です。対話は私たちが魂として真に存在し、生きる場なのです。

哲学としての対話

対話を実践することとは一体何でしょう。これまでの考察が全体として示してきたのは、対話それ自体が哲学の遂行だということでした。

対話と哲学の関係には三つの面があります。第一に、「対話とは何か」を考えてきたのが哲学であり、今日広く話題になっている「対話」という営みを検討してその本質を明らかにするのが哲学の役割でした。第二に、対話が扱う主題には哲学的な問題が含まれ、それらを論じながら理解を深めていく、あるいは知らないという自覚を促すことが対話の役割でした。しかし、哲学と対話のこういった相互的な関係に加えて、というかその基盤に、哲学こそまさに対話の実践であるという第三の面があります。最後にこの点を考えてみましょう。

哲学というと多くの人は、抽象的で理論的な思弁である、あるいは難解な学術分野であると思っています。専門的な書物だけが哲学だという印象も強いようです。しかし、「知を愛し求める」という哲学の営みは、そもそもは人間のだれもに開かれた、生き方の探求と実践でした。言葉をつうじて向き合って生き方を吟味していく哲学の問答は、対話の理想形です。哲学がそのものとして対話であるとはこのような意味です。

対話はふつう個別の事柄を主題にして、それについて言論を交わしていきます。ある場所と時間において二人の個人が特定の主題について語り合うこと、そのきわめて個別的な現場で、普遍性が輝き出ます。対話が目指すのは普遍的な事柄、真理ですが、それ以上に、そうして対話を交わすことで対話する人たちの間で普遍性という場が成立しているからです。対話の実践は、普遍的な真理をこの場に実現すること、つまり哲学そのものなのです。

対話で行う哲学は違和感を抱く過程の連続です。対話をしてすっきりと結論が出るということはほとんどありませんし、自分が当初は思っていなかった問題を考えざるを得ない状況にもなります。しかしそれは、自分とは異なる他者と出会う楽しみであり、知らない世界に飛び込み、知らない自分を知ろうとする冒険です。これまで論じてきた対話についての考察も、ただ受け入れるだけでなく、どこが納得できて、実践をつうじて、どこに違和感を抱くかを正確に見極めながら、そう感じる自分自身の思いを振り返ってみてください。それが哲学としての対話のあり方です。

最後に、ここまで読んでくださった皆さんにお伝えします。「対話とは何か」を哲学的に考察した本書は、著者がこれまで経験し考えたことを一方的に示すという非対話的な形になってしまいました。しかし、これを読んで理論を学ぶとか、技法を身につけるということは趣旨にそぐわないということは、ご理解いただけたと思います。個別の論点にはいろいろな違和感もあるでしょうし、納得のいかないことも多々あったはずです。それをぜひ自分や仲間と対話をつうじて考えてみてください。本書の言葉を、対決する相手、一緒に考える相手として活かしてもらえれば何よりです。それが、対話の技法（アルス・ディアレクティカ）という哲学が担ってきた役割なのですから。

対話を知るために参考になる本

対話に関する本はさまざまな分野で出ています。
最近の書籍から本書にも関わりのある数冊を紹介します。

● **暉峻淑子『対話する社会へ』**
（岩波新書、二〇一七年）
経済学者の著者が、海外や地域での経験から対話の重要性とあり方を論じます。

● **梶谷真司『考えるとはどういうことか　0歳から100歳までの哲学入門』**
（幻冬舎新書、二〇一八年）

「哲学対話」の意義を「問う、考える、語る、聞く」の四要素から考察し、対話実践のやり方まで丁寧に説明します。

●山口裕之『人をつなぐ　対話の技術』
（日本実業出版社、二〇一六年）

対話の欠如を現代日本の問題として捉え、民主主義のあり方を対話から提案します。

●河野哲也『人は語り続けるとき、考えていない　対話と思考の哲学』
（岩波書店、二〇一九年）

「こどもの哲学」を中心テーマとして対話と思考の関係を問い直し、対話としての哲学へと誘います。

●西村ユミ『語りかける身体　看護ケアの現象学』
（講談社学術文庫、二〇一八年／原著：ゆみる出版、二〇〇一年）

いわゆる「植物状態患者」との関わりを、看護師への聞き取りから現象学的に考察します。対話の限界状況と共に、看護師との対話も実践されます。

あとがき

笠間書院の編集者であった柴田真希都さんから、対話について本を書いてもらいたいとお誘いいただいたのは二年ほど前のことでした。ソクラテスやプラトンを専門にする私は、それまでも哲学の手法としての対話について折にふれて書いたり話したりしていましたが、それを主題に一冊にすることは考えていませんでした。それでも、何度も私の研究室に足を運んでアイデアを議論してくださった柴田さんのおかげで、本書への道がスタートしました。

ソクラテスが対話し、プラトンが対話篇を書いた哲学の技法をまとめることで、言葉が危機に瀕しているこの時代に、「真の意味で対話的な関係を構築するための『手引き』や『呼びかけ』のような本を」と柴田さんは提案くださいました。それに応じて、古代ギリシア哲学への参照はせずに、現代の私たちの言葉で考えるという方針をとりました。しかし、以前から考えていた基本的なアイデアは第一部でほぼ書き尽くしてしまい、第二部以降は行きつ戻りつしながら、先に何が出てくるか分からない創発的な対話の道を進んできました。その途上で、新型コロナウイルス感染症で社会がストップする事態も経験し、そこで対話の意味を新しい方向から考えさせられました。対話とは当初の思惑通りには進まず、着地点もないまま続けなければならないという理念を、実地に示す結果になってしまったようです。

その間に柴田さんは別の職場に移られましたが、それでもなんとか当初の提案に応える地点にまでたどり着きました。対話について書くなどとんでもない試みだったと思い知りながら、まずは柴田さんにご報告と感謝を申し上げます。対話の基礎考察では、二〇一四年六月に親鸞仏教センターでの講演「哲学は現代に何を語りえるのか――『理想』が開く可能性――」を元にしました。その企画にお招きくださった名和達宣さんに改めてお礼申し上げます。

日本文学の分野で書籍を出版している笠間書院からお声がけいただいたのは私にとっては意外でしたが、日本語で考えてものを書く一人として、現在学問の危機に直面する日本で言葉の問題を考える本を出させていただくことは光栄です。終盤にプッシュしていただいた山口晶広さんと糸賀蓉子さんに、心よりお礼申し上げます。

二〇二〇年十月　納富信留

納富信留（のうとみ　のぶる）

東京大学哲学科教授。西洋古代哲学が専門。古代ギリシアにおける「哲学の誕生」をテーマに、哲学と西洋古典学の二つの学問手法で迫っている。著書に『ソフィストとは誰か?』、『哲学者の誕生』（筑摩書房）、『プラトン 理想国の現在』（慶應義塾大学出版会）、『プラトンとの哲学 ―対話篇をよむ』（岩波書店）などがある。

対話の技法

2020年11月30日　初版第1刷発行
2023年 3 月20日　初版第2刷発行

著者　納富信留
イラスト　三木謙次
発行者　池田圭子
発行所　笠間書院

〒101-0064
東京都千代田区神田猿楽町2-2-3
電話03-3295-1331　FAX03-3294-0996

ISBN 978-4-305-70932-5

アートディレクション - 細山田光宣
装幀・デザイン ―― 鎌内文（細山田デザイン事務所）
本文組版 ―――― STELLA
印刷／製本 ―――― 大日本印刷